KT-375-720

Héritage

Le Voyage d'Octavio, roman, Rivages, 2015 ; Rivages poche, 2016.
Jungle, récit, Paulsen, 2016 ; Rivages poche, 2017.
Sucre noir, roman, Rivages, 2017 ; Rivages poche, 2019.
Naufrages, nouvelles, Rivages poche, 2020.
Héritage, roman, Rivages, 2020 ; Rivages poche, 2022.

Miguel Bonnefoy

Héritage

Rivages

Retrouvez l'ensemble des parutions
des Éditions Payot & Rivages sur

payot-rivages.fr

Ce livre a été écrit, entre 2018 et 2019,
à la Villa Medici et à la résidence d'auteurs
des Correspondances de Manosque.

Pour Selva,
toi qui es la seule à connaître la suite.

« *Ceux qui ne peuvent se rappeler leur passé*
sont condamnés à le répéter. »

George SANTAYANA

Lazare

Lazare Lonsonier lisait dans son bain quand la nouvelle de la Première Guerre mondiale arriva jusqu'au Chili. À cette époque, il avait pris l'habitude de feuilleter le journal français à douze mille kilomètres de distance, dans une eau parfumée d'écorces de citron, et plus tard, lorsqu'il revint du front avec une moitié de poumon, ayant perdu deux frères dans les tranchées de la Marne, il ne put jamais réellement séparer l'odeur des agrumes de celle des obus.

Selon le récit familial, son père avait autrefois fui la France avec trente francs dans une poche et un pied de vigne dans l'autre. Né à Lons-le-Saunier, sur les coteaux du Jura, il tenait un vignoble de six hectares quand la maladie du phylloxéra apparut, sécha ses ceps et le poussa à la faillite. Il ne lui resta en quelques mois, après quatre générations de vignerons, en contrebas des versants, que des racines mortes dans des vergers de pommiers

11

et des plantes sauvages desquelles il tirait une absinthe triste. Il quitta ce pays de calcaire et de céréales, de morilles et de noix, pour s'embarquer sur un navire en fer qui partait du Havre en direction de la Californie. Le canal de Panama n'étant pas encore ouvert, il dut faire le tour par le sud de l'Amérique et voyagea pendant quarante jours, à bord d'un cap-hornier, où deux cents hommes, entassés dans des soutes remplies de cages à oiseaux, jouaient des fanfares si bruyantes qu'il fut incapable de fermer l'œil jusqu'aux côtes de la Patagonie.

Un soir qu'il errait comme un somnambule dans un couloir de couchettes, il vit dans l'ombre une vieille femme couverte de bracelets, aux lèvres jaunes, assise sur une chaise de rotin, au front tatoué d'étoiles, qui lui fit signe d'approcher.

– Tu n'arrives pas à dormir ? demanda-t-elle.

Elle sortit de son corsage une petite pierre verte, creusée de cavernes minuscules et scintillantes, pas plus grosse qu'une perle d'agate.

– C'est trois francs, lui dit-elle.

Il paya, et la vieille femme brûla la pierre sur une écaille de tortue qu'elle agita sous son nez. La fumée lui monta si brusquement à la tête qu'il crut défaillir. Cette nuit-là, il dormit pendant quarante-sept heures d'un sommeil ferme et profond, en rêvant à des vignes d'or parsemées de créatures marines. À son réveil, il vomit tout ce qu'il avait dans le ventre et ne put se lever du lit tant son corps lui parut d'une lourdeur insoutenable. Il ne sut jamais si ce furent les fumées de la vieille gitane ou l'odeur fétide des cages à oiseaux, mais il sombra dans un état de fièvre délirante pendant la traversée du détroit de Magellan, hallucina parmi ces cathédrales de glace, voyant sa peau se couvrir de taches grises comme si elle s'effritait en cendres. Le capitaine, qui avait appris à reconnaître les premiers signes de la magie noire, n'eut besoin que d'un coup d'œil pour deviner les dangers d'une épidémie.

– La fièvre typhoïde, déclara-t-il. On le descendra à la prochaine escale.

C'est ainsi qu'il débarqua au Chili, à Valparaíso, en pleine guerre du Pacifique, dans un pays qu'il ne savait pas placer sur une carte et dont il ignorait tout à fait la langue. À son arrivée, il rejoignit la longue queue qui s'étirait devant un entrepôt de pêche avant d'atteindre le poste de douane. Il s'aperçut que l'agent du service d'immigration posait systématiquement deux questions à chaque passager avant de tamponner leur fiche. Il en conclut que la première devait concerner sa provenance, et la deuxième, logiquement, sa destination. Quand vint son tour, l'agent lui demanda, sans lever ses yeux sur lui :

– *Nombre ?*

Ne comprenant rien à l'espagnol, mais convaincu d'avoir deviné la question, il répondit sans hésiter :

– Lons-le-Saunier.

Le visage de l'agent n'exprima rien. Avec un geste fatigué de la main, il nota lentement :

Lonsonier.

– *Fecha de nacimiento ?*

Il reprit :

– Californie.

L'agent haussa les épaules, écrivit une date et lui tendit sa fiche. À partir de cet instant, cet homme qui avait quitté les vignobles du Jura fut rebaptisé Lonsonier et naquit une seconde fois le 21 mai, jour de son arrivée au Chili. Au cours du siècle qui suivit, il ne reprit jamais la route vers le nord, découragé par le désert d'Atacama autant que par la sorcellerie des chamanes, ce qui lui faisait dire parfois en regardant les collines de la Cordillère :

– Le Chili m'a toujours fait penser à la Californie.

Bientôt, Lonsonier s'habitua aux saisons inversées, aux siestes en milieu de journée et à ce nouveau nom qui, malgré tout, avait conservé des sonorités françaises. Il sut annoncer les tremblements de terre et ne tarda pas à remercier Dieu pour tout, même pour le malheur. Au bout de quelques mois, il parlait comme s'il était né dans la région, roulant les « r » comme les pierres d'une rivière, trahi pourtant par un léger accent. Comme on lui avait appris à lire les constellations du zodiaque et à mesurer les distances astronomiques, il déchiffra la nouvelle écriture australe, où l'algèbre des étoiles était fugitive, et comprit qu'il s'était installé dans un autre monde, fait de pumas et d'araucarias, un premier monde peuplé de géants de pierre, de saules et de condors.

Il fut engagé comme chef de culture dans le domaine viticole de Concha y Toro et créa plusieurs chais, qu'on appelait *bodegas*, dans les fermes d'éleveurs de lamas et de dresseuses d'oies. La vieille vigne française, sur la robe de la Cordillère, réclamait une seconde jeunesse dans ce lambeau de terre, étroit et long, suspendu au continent comme une épée à sa ceinture, où le soleil était bleu. Rapidement, il intégra un cercle fait d'expatriés, de transplantés, de *chilianisés*, reliés par d'habiles alliances et enrichis par le commerce du vin étranger. Lui qui avait pris la route vers l'inconnu, qui était un humble vigneron, un pauvre paysan, se trouva brusquement à la tête de plusieurs domaines et devint un ingénieux homme d'affaires. Rien, ni les guerres ni le phylloxéra, ni les soulèvements ni les dictatures, ne pouvait désormais troubler sa nouvelle prospérité, si bien que, lorsqu'il fêta sa première année à Santiago, Lonsonier bénit le jour où une gitane, à bord d'un navire en fer, avait brûlé une pierre verte sous son nez.

Il se maria avec Delphine Moriset, une rousse frêle et délicate, aux cheveux raides, issue d'une ancienne famille bordelaise, marchande de parapluies. Delphine racontait que sa famille avait décidé d'émigrer à San Francisco, à la suite d'une sécheresse en France, dans l'espoir d'ouvrir un magasin en Californie. Les Moriset avaient traversé l'Atlantique, longé le Brésil et l'Argentine, avant de passer par le détroit de Magellan où ils firent une escale dans le port de Valparaíso. Par une ironie de l'histoire, ce jour-là, il pleuvait. Son père, M. Moriset, en homme décidé, était descendu sur le quai et avait vendu en une heure tous les parapluies qu'il avait emportés dans de grandes malles scellées. Ils n'avaient jamais repris le bateau pour San Francisco et s'étaient établis définitivement dans ce pays bruineux, serré entre une montagne et un océan, où l'on disait que, dans certaines régions, la pluie pouvait tomber pendant un demi-siècle.

Le couple, uni par les accidents du destin, s'installa à Santiago dans une maison de style andalou, sur la rue Santo Domingo, près du fleuve Mapocho dont les crues suivaient la fonte des neiges. La façade était cachée par trois citronniers. Les pièces, toutes hautes de plafond, exhibaient un mobilier d'époque Empire composé de vanneries en osier de Punta Arenas. En décembre, on faisait venir des spécialités françaises et la maison se remplissait de cartons de citrouilles et de paupiettes de veau, de cages pleines de cailles vivantes et de faisans déplumés, déjà posés sur leur plateau d'argent, dont les chairs étaient si raffermies par le voyage qu'on ne pouvait les couper à l'arrivée. Les femmes se livraient alors à des expériences culinaires invraisemblables qui semblaient plus proches de la sorcellerie que de la gastronomie. Elles mêlaient aux vieilles traditions des tables françaises la végétation de la Cordillère, embaumant les couloirs d'odeurs mystérieuses et de fumées jaunes. On servait des *empanadas* farcies de boudin, du coq au malbec, des *pasteles de jaiba* avec du maroilles, et des reblochons si puants que les servantes chiliennes pensaient qu'ils provenaient sans doute de vaches malades.

Les enfants qu'ils eurent, dont les veines n'avaient pas une seule goutte de sang latino-américain, furent plus français que les Français. Lazare Lonsonier fut le premier d'une fratrie de trois garçons qui virent le jour dans des chambres aux draps rouges, sentant l'*aguardiente* et la potion de serpent. Bien qu'entourés de matrones qui parlaient le mapuche, leur première langue fut le français. Leurs parents n'avaient pas voulu leur refuser cet héritage qu'ils avaient arraché aux migrations, qu'ils avaient sauvé de l'exil. C'était entre eux comme un refuge secret, un code de classe, à la fois le vestige et le triomphe d'une vie précédente. L'après-midi de la naissance de Lazare, alors qu'on le baptisait sous les citronniers de l'entrée, on se rendit en procession dans le jardin et, vêtus de ponchos blancs, on célébra cet instant en repiquant le pied de vigne que le vieux Lonsonier avait conservé avec un peu de terre dans un chapeau.

– Maintenant, dit-il en tassant la terre autour du tronc, nous avons réellement planté nos racines.

Dès lors, sans jamais y avoir été, le jeune Lazare Lonsonier imagina la France avec la même fantaisie que les chroniqueurs des Indes avaient probablement imaginé le Nouveau Monde. Il passa sa jeunesse dans un univers d'histoires magiques et lointaines, protégé des guerres et des bouleversements politiques, rêvant d'une France qu'on avait dépeint comme une sirène. Il y voyait un empire qui avait poussé si loin l'art du raffinement que les récits des voyageurs ne parvenaient pas à dépasser l'empire lui-même. La distance, le déracinement, le temps, avaient embelli ces lieux que ses parents avaient quittés avec amertume, de sorte que, sans la connaître, la France lui manquait.

Un jour, un jeune voisin avec un accent germanique lui demanda de quelle région venait son nom. Ce garçon blond, au port élégant, était issu d'une immigration de colons allemands au Chili, vingt ans plus tôt, dont la famille s'était installée dans le Sud pour travailler les terres avares de l'Araucanie. Lazare rentra chez lui avec la question au bout des lèvres. Le soir même, son père, conscient que toute sa famille avait hérité son patronyme d'un malentendu à la douane, lui murmura à l'oreille :
– Quand tu iras en France, tu rencontreras ton oncle. Il te racontera tout.
– Il s'appelle comment ?
– Michel René.
– Il habite où ?
– Ici, dit-il en posant un doigt sur son cœur.

Les traditions du vieux continent étaient si bien enracinées dans la famille qu'au mois d'août, personne ne fut surpris de voir arriver la mode des « bains ». Le père Lonsonier revint un après-midi avec des opinions sur la propreté domestique et importa une baignoire sur pied, dernier modèle, en fonte émaillée, avec quatre pattes de lion en bronze, qui ne présentait ni robinet ni écoulement, mais seulement un large ventre de femme enceinte où deux personnes pouvaient tenir côte à côte en position fœtale. Madame fut impressionnée, les enfants s'amusèrent de ses proportions et le père expliqua qu'elle était faite en défenses d'éléphant, prouvant ainsi qu'ils tenaient devant eux sans doute la découverte la plus fascinante qui soit depuis la machine à vapeur ou l'appareil photographique.

Pour la remplir, il fit appel à Fernandito Bracamonte, *el aguatero*, le porteur d'eau du quartier, père d'Hector Bracamonte qui devait jouer, quelques années plus tard, un rôle capital dans la généalogie familiale. Déjà à cet âge, c'était un homme courbé comme une branche de bouleau, avec d'énormes mains d'égoutier, qui traversait la ville à dos de mule en transportant des barriques d'eau chaude sur une charrette, montait dans les étages et emplissait les bassines avec des gestes fatigués. Il disait être l'aîné d'une fratrie vivant de l'autre côté du continent, dans les Caraïbes, parmi lesquels Severo Bracamonte le chercheur d'or, un restaurateur d'église de Saint-Paul-du-Limon, une utopiste de Libertalia et un *maracucho* chroniqueur qui répondait au nom de Babel Bracamonte. Mais malgré cette fratrie nombreuse, personne ne sembla se préoccuper de lui le soir où des pompiers le trouvèrent noyé à l'arrière d'un camion-citerne.

On installa la baignoire au centre de la pièce et, comme tous les Lonsonier s'y baignaient à tour de rôle, les uns après les autres, on y fit tremper des citrons du porche pour purifier l'eau et on ajouta un pont en bois de bambou pour feuilleter le journal.

C'est pourquoi, en août 1914, lorsque la nouvelle de la Première Guerre mondiale arriva jusqu'au Chili, Lazare Lonsonier lisait dans son bain. Une pile de journaux était apparue le même jour avec deux mois de retard. *L'Homme Enchaîné* publiait les télégrammes de l'empereur Guillaume au tsar. *L'Humanité* annonçait le meurtre de Jaurès. *Le Petit Parisien* informait de l'état de siège général. Mais la dépêche la plus récente du *Petit Journal* affichait, en caractères menaçants sur une grande manchette, que l'Allemagne venait de déclarer la guerre à la France.

– *Pucha*, lâcha-t-il.

Cette nouvelle lui fit prendre conscience de la distance qui les séparait. Il se sentit brusquement envahi d'un sentiment d'appartenance à ce pays lointain, attaqué à ses frontières. Il bondit hors de sa baignoire et, bien qu'il ne vît dans le miroir qu'un corps efflanqué, rabougri et inoffensif, inapte au combat, il éprouva néanmoins un regain d'héroïsme. Il gonfla ses muscles et une sobre fierté chauffa son cœur. Il crut reconnaître le souffle de ses ancêtres et sut à cet instant, avec un soupçon craintif, qu'il devait obéir au destin qui, depuis une génération, jetait les siens vers l'océan.

Il noua une serviette autour de sa taille et descendit dans le salon, le journal à la main. Devant sa famille rassemblée, dans une épaisse odeur d'agrumes, il leva le poing et déclara :

– Je pars me battre pour la France.

En ce temps-là, le souvenir de la guerre du Pacifique était toujours vivant. L'affaire Tacna-Arica, provinces conquises par le Chili sur le Pérou, créait encore des conflits frontaliers. L'armée péruvienne étant instruite par la France, l'armée chilienne par l'Allemagne, il ne fut pas difficile pour les enfants d'immigrés européens, qui naquirent sur le flanc de la Cordillère, de voir dans la discorde de l'Alsace-Lorraine une coïncidence avec celle de Tacna-Arica. Les trois frères Lonsonier, Lazare, Robert et Charles, étalèrent une carte de France sur la table et se mirent à étudier méticuleusement le déplacement des troupes, sans avoir la moindre idée de ce qu'ils voyaient, persuadés que leur oncle Michel René luttait déjà dans les prairies de l'Argonne. Ils interdirent de jouer Wagner dans leur salon et, un *pisco* à la main, sous la clarté d'une lampe, s'amusèrent à nommer les fleuves, les vallées, les villes et les hameaux. En quelques jours, ils recouvrirent le plan de punaises de couleur, d'épingles à tête, et de petits drapeaux en papier. Les servantes observaient cette pantomime avec consternation, en respectant l'ordre de ne pas mettre le couvert tant que la carte était sur la table, et personne dans la maison ne comprit comment on pouvait se battre pour une région où l'on n'habitait pas.

Pourtant, à Santiago, la guerre résonna comme un appel voisin, si puissant qu'il fut bientôt au centre de toutes les conversations. Brusquement, une autre liberté, celle du choix, celle de la patrie, était là, partout, affirmant sa présence et sa gloire. Sur les murs du consulat et de l'ambassade étaient collées des affiches qui avertissaient de la mobilisation générale et annonçaient des collectes de fonds. Des éditions spéciales étaient imprimées à la hâte et des demoiselles, qui ne parlaient que l'espagnol, fabriquaient des boîtes de chocolats en forme de képi. Un aristocrate français, installé au Chili, promit une donation de trois mille pesos pour récompenser le premier soldat franco-chilien qui serait décoré pour fait d'armes. Les cortèges se formèrent sur les boulevards principaux et les navires commencèrent à se remplir de recrues, fils ou petit-fils de colons, qui partaient garnir les rangs, les visages confiants, les sacs remplis de costumes pliés et d'amulettes en écailles de carpe.

Ce spectacle était si séduisant, si radieux, qu'il fut impossible pour les trois Lonsonier de résister au désir ardent de participer à cette levée en masse, entraînés par cette heure grandiose. En octobre, sur l'avenue Alameda de Santiago, devant quatre mille personnes, ils firent partie des huit cents Franco-Chiliens qui quittèrent la gare de Mapocho en direction de Valparaíso, où ils devaient embarquer sur un navire pour la France. Une messe fut célébrée dans l'église de San Vicente de Paul, entre la rue du 18-Septembre et San Ignacio, et une bande militaire interpréta *La Marseillaise* à haute volée devant un parterre tricolore. On raconta plus tard que les réservistes étaient si nombreux qu'il fallut ajouter des wagons spéciaux en queue de l'express *del norte*, et que certains jeunes volontaires, tardifs, mirent quatre jours à pied pour franchir la Cordillère des Andes, enneigée à cette saison de l'année, pour rejoindre le navire à Buenos Aires.

La traversée fut longue. La mer produisit sur Lazare une impression mêlée d'angoisse et d'émerveillement. Tandis que Robert lisait tout le jour dans sa cabine, tandis que Charles s'entraînait sur le pont, il fumait en écoutant les rumeurs qui circulaient parmi les autres recrues. Le matin, ils entonnaient des chants militaires et des marches héroïques, mais le soir, au crépuscule, assis en cercle, ils se racontaient des histoires épouvantables où l'on disait qu'au front il pleuvait des cadavres d'oiseaux, que la fièvre noire faisait germer des escargots dans le ventre, que les Allemands taillaient au couteau leurs initiales sur la peau de leurs prisonniers, qu'on signalait des maladies disparues depuis le Baron de Pointis. Encore une fois, Lazare évoquait la France comme une chimère, une architecture faite de récits, et au bout de quarante jours, quand il distingua ses côtes, il se rendit compte que la seule pensée qu'il n'avait pas envisagée fut qu'elle existât réellement.

Pour son débarquement, il s'était vêtu d'un pantalon de velours côtelé, de mocassins à semelle mince et d'une veste en maille torsadée qu'il avait héritée de son père. Habillé à la chilienne, il mettait pied à terre dans ce port avec l'ingénuité de l'adolescent qu'il avait été, et non avec la fierté du soldat qu'il allait devenir. Charles portait une tenue de marin, une chemise à rayures bleues et un bonnet de coton surmonté d'un pompon rouge. Il s'était taillé une moustache fine, parfaitement symétrique, ornant la lèvre comme ses glorieux ancêtres gaulois, dont il couchait l'épi avec une pointe de salive. Robert avait une chemise à plastron, un pantalon de satin, et laissait pendre au-dessus de sa taille une montre en argent, qu'il avait attachée à une chaînette, dont on découvrit, le jour de son décès, qu'elle avait toujours donné l'heure chilienne.

La première chose qu'ils remarquèrent en descendant sur le quai fut le parfum, presque identique à celui du port de Valparaíso. Ils n'eurent pas le temps de l'évoquer car aussitôt on les mit en file devant un commandement de la compagnie, et on leur distribua des uniformes, un pantalon rouge, une capote fermée par deux rangs de boutons, des guêtres et une paire de brodequins en cuir. Ils montèrent ensuite dans des camions militaires qui transportaient des milliers de jeunes immigrés sur les champs de bataille, venus se déchirer au sein même d'un continent que leurs pères avaient autrefois quitté sans retour. Assis sur des bancs face à face, nul ne parlait le français que Lazare avait lu dans les livres, avec des traits d'esprit et des mots choisis, mais on donnait des ordres sans poésie, on insultait un ennemi qu'on ne voyait jamais, et le soir, à l'arrivée, alors qu'il faisait une queue devant quatre larges casseroles en fonte, où deux cuisiniers réchauffaient du ragoût plein d'os, il n'entendit que des dialectes bretons et provençaux. L'espace d'un instant, il fut tenté de reprendre le bateau, de repartir chez lui, de retourner par où il était venu, mais il se souvint de sa promesse et décida que si un quelconque devoir patriotique existait au-delà des frontières, c'était bien celui de défendre le pays de ses ancêtres.

Les premiers jours, Lazare Lonsonier fut si occupé à consolider les tranchées, à installer des rondins et des claies, à aménager le sol en posant des panneaux quadrillés, qu'il n'eut pas le temps de ressentir la nostalgie du Chili. Avec ses frères, ils passèrent plus d'un an à installer des barbelés, à diviser des rations de nourriture et à transporter des malles d'explosifs, au milieu de longues allées bombardées, entre des batteries d'artillerie,

25

d'une ligne à une autre. Au début, pour conserver une dignité de soldat, ils se lavaient à petite eau, quand ils trouvaient une source propre, avec un peu de savon qui couvrait leurs bras d'une mousse grise. Ils se laissèrent pousser la barbe, par mode plus que par négligence, afin d'avoir l'honneur d'être appelés eux aussi « poilus ». Mais les mois passant, le prix de la dignité devint humiliant. Par groupe de dix, ils se livraient à l'exercice dégradant de l'épouillage, nus dans un pré, leurs vêtements plongés dans de l'eau bouillante, frottant leur fusil avec un mélange de suie et de dégras, puis se rhabillaient avec des uniformes râpés, crottés, déchirés, dont l'odeur devait poursuivre Lazare jusqu'aux heures les plus sombres de la montée du nazisme.

La rumeur courut qu'on donnerait trente francs à celui qui ramènerait une information du front ennemi. Rapidement, dans les pires conditions, des fantassins affamés tentèrent leur chance en rampant au milieu des cadavres couverts de larves. Ils se traînaient dans la boue comme des bêtes, en veillant dans une crevasse pour tendre l'oreille, par-dessus les chevaux de frise, afin de saisir une date, une heure, un indice d'attaque. Loin de leur cantonnement, ils se faufilaient le long des lignes allemandes, tremblant de peur et de froid dans leur poste de guet clandestin, et passaient parfois des nuits entières recroquevillés dans un trou d'obus. Le seul à avoir touché les trente francs fut Augustin

Latour, un cadet qui venait de Manosque. Il racontait avoir découvert une fois un Allemand au fond d'un ravin, le cou cassé par une chute, et il lui avait fouillé les poches. Il n'y avait rien trouvé d'autre que des lettres en allemand, des marks-papier et de petites pièces en métal avec un trou carré au centre, mais dans un double fond en cuir, au niveau de la ceinture, il vit trente francs, soigneusement pliés en six, que l'Allemand avait sans doute volés à un cadavre français. Il les brandissait alors, fier de lui, en répétant :

– J'ai remboursé la France.

Ce fut plus ou moins à cette époque qu'on découvrit un puits à mi-chemin entre les deux tranchées. Jusqu'à la fin de sa vie, Lazare Lonsonier ne sut jamais comment les deux lignes ennemies s'étaient accordées sur un cessez-le-feu pour y accéder. Vers midi, on suspendait les tirs, et un soldat français disposait d'une demi-heure pour sortir de sa tranchée, s'approvisionner en eau avec de lourds seaux et faire marche arrière. La demi-heure passée, un soldat allemand se ravitaillait à son tour. Une fois les deux fronts fournis, on recommençait à tirer. On survivait ainsi pour continuer à se tuer. Cette danse noire se répétait tous les jours avec une exactitude militaire, sans aucun dépassement de part et d'autre, dans un strict respect des codes chevaleresques de la guerre, au point que ceux qui revenaient du puits disaient entendre pour la première fois, après deux ans de conflit, le chant lointain d'un oiseau ou la meule d'un moulin.

Lazare Lonsonier se porta volontaire. Chargé de quatre seaux pendus aux avant-bras, de vingt gourdes vides en bandoulière et d'une bassine à vaisselle entre les mains, il atteignit le puits après dix minutes de marche, en se demandant comment il rebrousserait chemin avec les mêmes récipients pleins. Le puits, entouré d'une vieille margelle et d'un muret décrépi, avait la tristesse d'une volière vide. Tout autour gisaient quelques bassines trouées de balles et une vareuse militaire que quelqu'un avait abandonnée sur le rebord.

Il attacha l'anse du seau au bout d'une corde et le fit descendre jusqu'à entendre un clapotement. Il tirait pour le remonter, lorsqu'une masse apparut subitement comme un rocher devant lui.

Lazare leva la tête. Debout, couvert de boue de camouflage, un soldat allemand pointait son arme sur lui. Terrifié, il lâcha la corde, laissant tomber le seau, se redressa d'un bond, voulut s'échapper, mais trébucha sur une pierre et cria :

– *Pucha !*

Il attendit le tir, mais il ne vint pas. Lentement, il rouvrit les yeux et se tourna vers le soldat. Il fit un pas en avant, Lazare recula. Il avait sans doute le même âge que lui, mais l'uniforme, les bottes, le casque, tout lui en donnait davantage. Le soldat allemand baissa son pistolet et lui demanda :

– *Eres chileno ?*

Cette phrase fut chuchotée dans un espagnol parfait, un espagnol où apparurent des condors furieux et des *arrayanes*, des cormorans et des rivières qui sentent l'eucalyptus.

– *Si*, répondit Lazare.

Le soldat eut une expression de soulagement.

– *De donde eres ?* demanda-t-il.

– *De Santiago*.

L'Allemand eut un sourire.

– *Yo también. Me llamo Helmut Drichmann*.

Lazare reconnut le jeune voisin de la rue Santo Domingo qui lui avait demandé, dix ans auparavant, l'origine de son nom. La nouvelle de la guerre était tombée sur eux en même temps. Tous deux avaient cédé à la tentation de traverser un océan pour défendre un autre pays, un autre drapeau, mais à présent, devant ce puits, l'espace d'un instant, ils revenaient en silence pour s'abreuver à la source qui les avait vus naître.

– *Escuchame*, dit l'Allemand. On prépare une attaque surprise vendredi soir. Débrouille-toi pour être malade ce jour-là et passe la nuit à l'infirmerie. Ça pourrait te sauver la vie.

Helmut Drichmann prononça ces mots d'un seul souffle, sans calcul ni stratégie. Il le dit comme on donne de l'eau à un autre homme, non pas parce qu'on en a, mais parce qu'on connaît la soif. L'Allemand ôta son casque d'un geste lent, et seulement alors Lazare put le voir avec netteté. Son visage était d'une beauté marmoréenne, lourd et mat, d'une couleur sobre, dont la patine rappelait le charme discret des vieilles statues. Lazare se souvint de tous ces soldats qui dormaient dans des fosses dans l'espoir de surprendre une conversation, de révéler la cachette d'un peloton ou la position secrète d'une mitrailleuse, et il mesura le prix de cette confidence, qui lui apparut tout à coup évidente et absurde, jetée avec ses grandeurs et ses bassesses dans les véritables dimensions de l'histoire.

Il vécut ce jour-là le premier dilemme d'une longue chaîne que devaient poursuivre les générations après lui. Devait-il se sauver en se réfugiant à l'infirmerie, ou bien protéger les siens en faisant un rapport à son supérieur ? Le refus de choisir montait en lui comme une clameur muette. Lorsqu'il regagna les lignes françaises, et qu'il croisa les yeux de ses compagnons, il craignit qu'on ne lise dans son regard sa double identité de menteur et de traître.

Il conclut ainsi que, par amour pour le Chili, il fallait respecter le secret que Helmut Drichmann venait de lui confier. Il imagina un juste milieu impossible entre l'imposture et l'aveu. Il chercha un indice, un signe qui le pût confirmer dans ce choix, mais face à ses camarades fatigués, il demeura hésitant, incertain. En voyant Charles et Robert sous des couvertures crasseuses, sur des lits de blé battu, la honte qu'il éprouva fut telle qu'il s'aperçut qu'elle avait effacé sa décision. Il comprit que la véritable fraternité le liait, au fond de lui-même, à un autre choix. Il ne le saisit pas tout de suite. Il était loin de soupçonner qu'il venait d'assister à la déchirure d'une première blessure, mais avec une discrète pudeur, une heure après son retour, il informa son supérieur de l'embuscade allemande. Quand on lui tendit les trente francs de prime, il les refusa.

Le jeudi, l'escouade de Lazare attaqua à l'aube avec cent cinquante hommes bien armés et les Allemands, pris par surprise, encore endormis, furent incapables de repousser l'offensive. On jeta des grenades dans les paillasses, on brûla les garde-manger, on exécuta des prisonniers, on lâcha des meutes de chiens, on fusilla des otages. Pendant plusieurs heures, on reproduisit les mêmes abus qu'on condamnait chez l'ennemi. Bientôt, les Français furent les seuls debout, entourés de vaincus qui rampaient dans la fange. Lazare chercha des yeux le cadavre de Helmut Drichmann dans la plaine fumante. Il retourna les corps, déchiffra les plaques, courbé sur chaque uniforme, les yeux rivés au sol, si absorbé qu'il ne vit pas l'obus éclater près de lui.

La bombe explosa à un mètre avec une force foudroyante. Bien des années plus tard, au bout de sa vie, quittant le monde dans sa maison de Santo Domingo, Lazare devait se souvenir avec une précision terrifiante de cette détonation qui le projeta dans les fossés d'un abri voisin et lui fracassa les côtes contre une pierre. Le choc lui ouvrit le flanc gauche et lui creusa un trou si profond qu'on apercevait, couvert de terre et de pluie, son poumon à découvert. Avant de perdre connaissance, il crut voir le visage de Helmut Drichmann se pencher sur lui. Puis, il se laissa sombrer dans un abîme éthéré et oublia cette scène pendant des années, jusqu'au jour où, trente ans et deux mois plus tard, ce même soldat allemand, chargé d'or et de boue, vint le chercher dans son salon pour l'accompagner dans sa rencontre avec la mort.

Thérèse

La chute ne le tua pas. Lazare Lonsonier demeura inconscient en attendant qu'un médecin arrive depuis l'arrière du front pour lui appliquer un antiseptique et, pendant trois nuits, seules les convulsions de son torse prouvèrent qu'il était encore vivant. Il fallut lui administrer des injections d'huile de camphre, de la morphine et des capsules de pavot pour alléger la douleur, mais les méthodes n'eurent aucun résultat. Un mardi de pluie, il fut le premier patient à subir une lobectomie, mais, de cette opération qui devait devenir une des grandes fiertés de la médecine moderne, Lazare fut peut-être le seul à en avoir gardé de vagues sensations et des souvenirs confus. Il fut malade des semaines entières et se réveilla finalement, la tête lourde et les paupières gonflées, dans un hôpital qui devait avoir été une masure de trois étages, à quatre balcons, dont les chambres abritaient encore les traces d'une famille jadis heureuse.

La pièce où il se leva devait être celle des enfants, car la fenêtre, peinte aux couleurs d'oiseaux exotiques, avait été condamnée pour qu'on ne puisse pas accéder au balcon. Il découvrit tous les bandages dans lesquels on l'avait enserré et le pansement en lin blanc sur son épaule gauche. Quand il se renseigna sur ses frères, on lui apprit que Charles avait été tué à la baïonnette près d'Arras, après avoir lutté jusqu'à l'aube, lors d'une nuit furieuse et bruyante, dans tout l'éclat de sa passion. Robert était mort le lendemain, un fusil dans une main et une bouteille de vin dans l'autre. Un char avait foncé sur lui, alors que la tranchée allemande était presque gagnée, non loin de la terre même que ses ancêtres avaient plantée de vignes. En recevant les deux nouvelles, les flancs entourés d'un épais emmaillotage, la douleur qu'il ressentit fut telle qu'il fut pris d'un horrible accès de toux et, glissant au milieu de la secousse, cogna sa tête contre le chevet. Il bascula ainsi à nouveau dans un profond coma sans lumière, un puits sans cordes ni remparts, remué de spasmes et de convulsions, où l'on craignit qu'au réveil ne l'attendît la folie. Jamais, pendant toutes les années qui suivirent, Lazare Lonsonier ne put repenser à la guerre sans subir la tempête amère de cette période et même lorsqu'il se rétablit, et qu'il eut l'autorisation de sortir, il fut incapable de retrouver dans son cœur les légèretés d'autrefois.

Pendant sa convalescence, comme il parlait espagnol, il fut affecté au bureau de la compagnie pour écrire les lettres de condoléances aux familles hispanophones des soldats tombés. Assis devant une vieille machine à écrire, la première fut pour sa mère. Puis, de courrier en courrier, les uns après les autres, il dut raconter à chaque sœur désespérée, à chaque femme inconsolable, à chaque père abattu, les opérations glorieuses auxquelles avait participé leur fils, leur mari et leur frère, trouvant les mots appropriés pour souligner leur courage, en se permettant l'audace de poser sur leurs lèvres des dernières paroles sublimes, pleines d'une poésie déchirante. Il envoya près de mille missives qui finirent dans mille tiroirs d'un autre continent, parfois avec six mois de retard, comme des fragments de mémoire, que les mères gardèrent dignement en souvenir parmi des foulards de *cueca* et des tablettes en cuivre, mille lettres qui se défendirent contre les mites et l'oubli, jusqu'à ce qu'une autre génération vînt les lire à nouveau.

Lazare eut bientôt accès à tous les registres de l'état-civil. La proximité avec le Jura l'amena à croire qu'il pourrait identifier facilement, quelque part dans les fiches jaunies des archives municipales, le seul homme à sa connaissance qui conservait encore sa mémoire familiale avant l'exil. Il se souvint de l'oncle dont lui avait parlé son père, un certain Michel René, et se mit en tête de le retrouver. Or non seulement il n'y avait aucun René, ni aucun Lonsonier, mais il se perdit dans une jungle incompréhensible d'arbres généalogiques complexes et renonça à ses recherches, après quelques semaines insistantes, persuadé qu'il ne restait dans ces grimoires que des morts de papier et des fantômes anonymes. C'est ainsi que, des quatre années que dura le conflit, Lazare Lonsonier en passa une dans une tranchée, deux dans un hôpital et la dernière dans un bureau de mairie.

Le 11 novembre 1918, on fit sonner à haute volée les cloches de toutes les églises de France pour annoncer la fin de la guerre. En décembre, lorsque Lazare quitta la France, et qu'on le mit sur un navire en direction de Valparaíso, accompagné de centaines de jeunes Latino-Américains, l'âme de ce pays blessé semblait déjà l'avoir abandonné, et toute cette campagne bucolique qu'on lui avait racontée, de majordomes et de haies d'aulnes, n'était plus peuplée que par les spectres de soldats tristes. Depuis le pont du bateau, il observa le paysage et constata au loin les vallées, fertilisées par le sang des hommes tués au combat, vertes de cadavres enterrés, des terres grasses nourries par les chevaux morts dans des tertres et les engrais des fosses communes.

– Ce pays semble prêt à accueillir une nouvelle guerre, pensa-t-il.

Le jour où Lazare Lonsonier accosta au port de Valparaíso, sa mère l'attendait sur le quai. Vieillie, ridée par l'anxiété, plus pâle et plus fragile qu'au moment de son départ, elle avait les yeux gonflés de ceux qui ont longtemps pleuré en silence. Elle se remémora aussitôt l'après-midi où ils étaient trois à partir pour la France et, n'en voyant revenir qu'un seul, elle ne put réellement reconnaître son fils, dont elle confondit le prénom, pendant plusieurs mois, avec celui de ses deux frères.

À cinquante-deux ans, Delphine avait perdu l'intensité vermeille de sa chevelure de dahlias. Plus solitaire que jamais, elle était devenue une femme instable comme une statuette de cire, dont la peau translucide, rarement exposée au soleil, laissait à découvert un labyrinthe de veines bleues. La nouvelle de la mort de ses deux fils, après la lettre reçue, l'avait bouleversée au point de la rendre obsessionnelle. En prévoyant le retour de Lazare, elle avait donné l'ordre de laver les murs de son salon avec du savon noir, fait d'huile et de ronces, afin de purifier l'âme de la maison et d'éloigner les esprits belliqueux. Elle erra longtemps dans les hauts plateaux de la sénilité, sans se plaindre, seulement obnubilée par des cauchemars muets, dans le désordre de ses espoirs, dans les plis de ses heures vides, jusqu'à ce soir de décembre où elle se convainquit que son malheur familial venait des armes. Apeurée par tout ce qui était métallique, elle se mit en tête de fondre les casseroles, les gonds des portes et les balustrades des escaliers, pour en faire des joailleries scintillantes et transformer ainsi tout ce qui lui rappelait la mort en une orfèvrerie de la vie. C'est pourquoi, lorsque Lazare rentra couvert de décorations et de galons aux épaules, de médaillons où était représentée en bas-relief une femme entourée de lauriers, elle les fusionna avec de l'or dans un creuset, répétant qu'aucune distinction et qu'aucune pension de guerre ne pouvait remplacer ses enfants, et en fit des bagues qu'elle porta à ses doigts jusqu'à sa dernière heure.

Comme il ne voulait pas se sentir coupé de la France, Lazare lut toute la presse qui arrivait à Santiago. Il effeuilla les journaux, acheta des périodiques, ivre de la rumeur. Il se persuada qu'il avait davantage donné à la France par le sacrifice de sa jeunesse que tous les exilés du siècle passé par le prestige de leurs vins. La Grande Guerre avait marqué une fracture au Chili. On ne pouvait plus compter sur ses exploitations agricoles, ses usines ruinées, ses réserves épuisées. On n'importait plus aussi facilement et les capitaux étrangers s'étaient réduits. Les Français créaient désormais des sections de l'Union des poilus dans presque toutes les villes, des compagnies de la Pompe France et des associations d'anciens combattants. On évoquait Verdun, le Chemin des Dames, on se racontait les évasions, on se montrait les palmes, on citait le Tigre. Hier, les latifundistes marquaient sur leurs cartes de visite le nombre de leurs domaines. Aujourd'hui, ils y faisaient imprimer leurs blessures de guerre.

Mais ce sentiment de puissance patriotique ne parvint pas à masquer pour Lazare les images de ses années perdues. Son cœur était comme la vigne de son jardin, plantée vingt-quatre ans auparavant le jour de sa naissance, qui avait pris des tons mornes et une odeur repoussante, presque sans feuillage, dont la sève ne donnait plus de raisins. Lazare se remit à avoir des visions d'apocalypse, des crises de fièvre, des accès de toux qui le faisaient suer en laissant ses draps couverts de taches de sang. Sa tête était pleine de bruits d'explosions et de cliquetis de sabres, de coups de crosse et de fusées qui montent au ciel. Souvent, le récit de l'opération du poumon lui revenait en mémoire. Dans des délires lyriques, il donnait alors des détails hideux avec une précision bouleversante, l'odeur de térébenthine et les murs décrépis de l'infirmerie, en expliquant qu'à la fin, quand on l'avait recousu et qu'on lui avait montré sa moitié de poumon amputée, il avait cru qu'on lui présentait un morceau de son cœur.

On fit appel à des médecins français qui, selon son père, étaient les seuls « vrais » médecins du pays. Ils se succédèrent à son chevet, savants et pharmaciens, formés par l'école de Pasteur, des groupes de disciples d'Augustin Cabanès, ou des adeptes de littérature médicale qui se prenaient pour Horace Bianchon. Assis en cercle dans le salon, buvant du café chaud, ils débattaient entre eux pendant des heures, proposant des remèdes gigognes, certains voulant l'envoyer en cure dans un centre de soins d'avant-garde qui se trouvait à Limache, d'autres revendiquant l'usage de la méthode Coué, célèbre à cette époque. Lazare accepta tous les traitements, suivit les indications religieusement, ne discuta aucun régime. Mais tous les cachets lui provoquaient des migraines, lui broyaient les tempes, enflammaient son front, lui déformaient l'œil droit, et il lui semblait que dans sa tête, comme dans un champ de bataille, son cerveau explosait en cent pièces d'obus. La toux persistait, la température ne diminuait pas. Tout le monde, même au sein de sa propre famille, s'étonnait de le voir encore vivant. Il se réveillait en larmes, la poitrine rougie par la peur, la plaie du poumon séchée de sang. Vaincu, il se laissait alors retomber dans ses draps, les muscles atrophiés, la mine blême, avec la sensation épouvantable que le profil de Helmut Drichmann le regardait depuis l'autre côté du lit, un seau troué à la main.

Le vieux Lonsonier, qui avait alors soixante-quatre ans, et qui commençait à ajouter de nouveaux cépages à ses hectares de vigne, s'inquiéta tant de sa santé qu'il fut forcé de constater les défaites silencieuses du progrès médical.

— Ce n'est pas un médecin qu'il te faut, c'est un *machi*, déclara-t-il.

En ce temps-là, exerçait à Santiago un *machi* célèbre, un guérisseur mapuche, appelé Aukan, qui fascinait les foules autant qu'il repoussait

40

les scientifiques. Cet homme étrange, promis à jouer un rôle essentiel dans l'histoire familiale, disait être né dans la Tierra del Fuego, issu d'une interminable descendance de sorciers et d'ensorceleurs. Il avait traversé l'Araucanie à pied, fuyant les missionnaires et les frères jésuites qui fondaient des communautés, où il avait gagné sa vie en se livrant à des prescriptions de médecine surnaturelle, là où la médecine naturelle avait échoué. Il avait dans son sourire un soupçon de malice, des anneaux aux poignets et une bague à son index trouvée dans l'estomac d'un poisson. Son dos était comme un chêne large, sur lequel tombaient de longs cheveux noirs, attachés avec une barrette indigène. Toujours vêtu d'un poncho qui laissait à découvert son épaule gauche, il portait un épais ceinturon d'argent, adorné de grappes de cascabelles, et un pantalon en peau de vigogne dont le pli effleurait la chaussure. Quand il souriait, ses dents avaient une lueur bleuâtre et, quand il parlait, des paroles étranges aux inflexions mystiques, avec un accent insituable, semblaient venir non pas tant d'un autre pays, mais d'un autre temps, d'une langue si singulière qu'on n'aurait su dire si elle existait ou s'il l'inventait sur-le-champ.

Quand Aukan traversa le salon, et qu'il vit cet homme consumé par la fièvre, habité de délires et de râles, il jeta par la fenêtre la tour de médicaments qui s'était formée sur sa table, tira les rideaux et affirma avec une solennité théâtrale :

– Les remèdes tuent plus d'hommes que les maladies.

Aukan ne se référait qu'à des médecines transmises oralement, des rêves prémonitoires et des almanachs d'alchimistes. Après avoir examiné la cicatrice sur le torse de Lazare avec précaution, en avoir fait le contour auréolé avec le doigt, il prit finalement la défense des sciences secrètes et des dialogues avec les morts. Il réunit toute la famille dans la pièce pour expliquer ce qu'il savait sur le poumon et parvint à persuader Lazare des propriétés irréfutables des rituels chamaniques pour sa guérison.

– Tout est dans le passé, lui dit-il. Il faut d'abord reconnecter avec tes *pillanes*. L'âme de tes ancêtres.

Lazare balbutia quelque chose au sujet d'un certain Michel René, un oncle français dont on lui avait parlé, mais cela ne parut pas convaincre Aukan qui, bougeant ses cascabelles, pila des herbes dans un mortier avec le sang d'une poule noire qui n'avait pas connu de coq pour en faire un cataplasme. Avec des gestes accompagnés d'incantations, il enduisit la plaie de Lazare d'une pâte verdâtre, onctueuse et collante, qu'il mélangea avec une mèche de cheveux. À partir de cette matinée, il l'obligea à porter une vieille peau de bique, une veste rousse avec le poil en dedans, pelée aux coudes, qui empestait le rongeur en décomposition, et lui interdit de se toucher le flanc. Si Lazare autorisa encore la folie de ce traitement, c'est qu'il s'était rendu compte depuis longtemps qu'il était vain de vouloir lutter contre la mort et que, la fin s'approchant, il préférait se laisser pourrir de l'intérieur. Le cataplasme resta sur sa cicatrice pendant une semaine et, au bout de dix jours, commença à en émaner une odeur de fleurs fanées, imprégnant l'air d'un parfum repoussant de boyaux, jusqu'à se transformer en une croûte sèche et brune comme un parchemin de cannelle. La puanteur était telle que personne n'osa lui rendre visite dans sa maison de Santo Domingo et la rumeur courut dans le quartier que Lazare, en revenant du front, avait ramené de la Marne des scorpions dans le ventre. Ce fut Delphine qui déclara un jour, agacée par les odeurs, en faisant irruption dans sa chambre :

– Ce n'est pas un sorcier qu'il te faut, mais une femme.

Fin novembre, quand les beaux jours commencèrent à s'allonger, la famille Lonsonier prit la coutume de faire des pique-niques dans les champs de Pirque. Dans cette campagne à une heure de la capitale, le silence était complet, mais des rapaces hauts dans le ciel poussaient des cris stridents. Un dimanche, Lazare se retira du groupe et se mit à marcher dans le pré pour y respirer l'odeur des fanages. La vieille peau de bique sur les épaules, il allait dans les herbes folles, errant au hasard, quand tout à coup il distingua au loin des marchands qui vendaient des épices et des joailleries dans un cercle de charrettes.

C'étaient des jeunes hommes à la peau mate, aux mains fortes et habiles, aux yeux allongés comme des pointes de flèches, qui marchandaient des bijoux de femmes venant d'Araucania. Ils déroulaient des colliers fabriqués dans les mines d'argent, des vanneries de Nacimiento, et montraient leur étalage de couronnes de plumes et de tapis, de bracelets de cuivre et de calebasses peintes, avec des bras pleins de tatouages. Un vieil homme lui ouvrit une cage où dormaient d'énormes lézards blancs, immobiles sur des feuilles, le ventre plein de guêpes.

– Que veux-tu acheter ? lui demanda-t-il.

– Je veux acheter un voyage, répondit Lazare.

Les Mapuches, habitués à la folie imprévisible des Blancs, ne furent pas le moins du monde impressionnés et lui expliquèrent que, s'il avait de quoi payer pendant un mois, ils l'acceptaient dans leur caravane. Lazare s'engagea sans ciller, avec cette même ferveur qui l'avait gagné lorsqu'il s'était enrôlé dans l'armée. Pour ne pas inquiéter sa mère, il fit porter au groupe du pique-nique un message griffonné dans un carré de papier par le biais d'un des enfants. Une demi-heure plus tard, lorsque Delphine vit cet enfant métis s'approcher, les cheveux longs, une laine rugueuse sur les épaules, les jambes nues, elle sut aussitôt que son fils avait décidé de partir quelque part pour soigner les blessures secrètes que la Marne lui avait laissées. Devant la famille réunie, elle lut à voix haute les mots inscrits, tracés d'une écriture ferme :

Je suis parti avec le futur.

Le deuxième et dernier voyage de Lazare vers le Cajón del Maipo dura vingt et un jours. Il descendit vers des paysages désolés, en direction des communautés qui élevaient des chats sauvages, chassaient le *guanaco* à pieds. Pendant des journées entières, il gravit des pics et dévala des pentes, tandis que les sabots des bêtes étincelaient sur les rochers, à travers les champs de luzernes, où le crépuscule avait la couleur des gencives de pumas. Tous les sommets portaient une croix géante que ni les bourrasques ni les tempêtes n'avaient mises à terre. Il trafiqua un certain temps des peaux de chinchilla et de viscache, et ne s'alimenta que de bouillons de maïs avec de l'huile d'avocat. Il resta dans les vallées où il croisa des *huasos* qui mâchaient des herbes et roulaient sous leur langue des feuilles de coca, des gardiens de bétail qui montaient leurs chevaux sans selle et allaient vendre leur artisanat dans les villes. Les indigènes lui énuméraient les noms des insectes, comme s'il s'agissait de personnes qu'ils avaient connues, et lui parlaient de landes où les moutons avaient la laine plus dure que le fer et où les femmes pouvaient se transformer en narvals.

Cet air pur, ce voyage loin de tout, les découvertes incessantes de sa terre cicatrisèrent les plaies de son poumon. Les *mesetas*, les unes après les autres, tantôt découvertes, tantôt épineuses, parsemées de rochers de basalte pourpre, lui servirent davantage de remèdes que tous les cataplasmes d'Aukan. Lazare se sentit si bien qu'au bout de deux semaines il décida de quitter son groupe pour remonter vers la Cordillère, comme avaient voulu le faire les conquistadors de la Castille. Mi-décembre, en solitaire, il s'installa quelques jours dans un verger plein de fruits qu'il trouva dans un ancien *fundo*, vestige d'un potager et d'un canal d'irrigation qu'avaient creusé des colons belges, dans le bassin de Río Clarillo où il planta sa tente au creux d'une combe.

Un mardi, alors qu'il cueillait des pommes dans un pré, la peau de bique sur les épaules, un choc dans le dos le projeta à terre et deux serres puissantes s'enfoncèrent entre ses omoplates. Lazare se débattit furieusement et un oiseau, surpris par une résistance dont il n'avait pas l'habitude, recula en battant des ailes. Lazare se retourna et distingua alors, à un mètre de lui, suspendue dans les airs, une magnifique créature qui ressemblait à un aigle gris. C'était une buse bleue des Andes qui, depuis ses hauteurs, confondue par sa peau de bique, avait piqué sur lui comme si elle venait de débusquer un rongeur. Avant qu'il ait eu le temps de réagir, il entendit une voix en espagnol :

– Excuse-la. Elle t'a pris pour un renard. Tu n'es pas blessé ?

La peur des tranchées lui avait laissé l'habitude des gestes brusques. Il répondit machinalement, en français, comme s'il rassurait un soldat :

– Ça va !

Il fit volte-face et considéra celle qui avait parlé. C'était la propriétaire de la buse. Il fut stupéfait de voir que ce n'était pas un homme des brousses, qui sentirait la roulotte et le haut plateau, mais une jeune femme à la fine silhouette, élégante et douce, aux lignes soignées, qui apparut au milieu du paysage dans une tenue masculine. Elle avait des dents blanches, parfaitement alignées, et un chapeau de feutre crème qui versait jusqu'à ses lèvres une ombre délicate.

– *Eres francés ?* demanda-t-elle.

Lazare rougit. Il crut que son visage allait exploser sous l'afflux de sang qui gagna d'un jet ses joues, et la sensation de brûlure l'empourpra davantage.

– *Si.*

La femme mit son gant de cuir, et la buse se posa sur son poing.

– Ma famille est française, confia-t-elle.

Lazare s'étonna de constater que la jeune femme n'avait pas les mains calleuses, épaissies par le dressage du cuir, mais qu'elles étaient d'une orfèvrerie raffinée. Avec ses taches de rousseur, sa chevelure d'un roux sombre et ses yeux noirs dont la tristesse se confondait avec de la timidité, elle avait quelque chose d'une jeune Occitane. Un nez miniature, un front lisse, un menton pointu, qui lui rappelèrent le profil de la femme couverte de lauriers sur les médaillons des morts pour la France. Ils marchèrent dans la plaine. La chaleur renforçait ses parfums entêtants. Lazare évoqua la guerre.

– *Cuál guerra ?* s'enquit-elle.

Lazare ne répondit pas. Il découvrit un être généreux et accueillant, soucieux de contenter les autres, et savoura pour la première fois la surprise dans laquelle l'avait précipité accidentellement une caravane d'indigènes. Il ne se rappelait pas avoir été aussi gêné devant quelqu'un, aussi honteux de ses grandes mains, de sa santé fragile, de ses bras ballants, depuis ce jour où il s'était regardé dans la glace avant de partir à la guerre. Le lendemain, il l'aperçut en train de nourrir son oiseau au poing, debout sur une petite colline de rosiers. Un instant, il fut déçu, ne trouvant pas dans ses yeux la délicatesse qu'il avait cru déceler la veille. Mais les promenades se répétèrent et, pendant quatre jours, prenant l'habitude de se voir, Lazare se mit à chercher la faille pour entrer dans son cœur.

Il apprit qu'elle s'appelait Thérèse Lamarthe et Lazare, qui avait été dans sa jeunesse un grand lecteur, reconnut dans ce nom les sonorités d'un personnage dont les romantiques français avaient peuplé leurs tragédies. Thérèse devait avoir dix-huit ans, ses lointains ancêtres lui avaient légué une stature d'une féminité affable et une démarche assurée. Elle ramenait ses cheveux en chignon sur le sommet de sa tête, en exhalant à chaque geste une fraîche odeur de rapace et de lanière en cuir. En ces temps, les femmes ne sortaient qu'enveloppées d'une mante noire à dentelles sur la tête, un grand châle qui leur couvrait les épaules et cachait par de larges plis les formes de leurs hanches, mais Thérèse portait un chapeau français et des colifichets, coquetteries inutiles dans son costume de chasseur, dont l'élégance contrastait avec son métier.

Lazare ignorait tout des femmes, et davantage encore qu'il existât une tradition séculaire dans la séduction. Ainsi, par ignorance, plus que par galanterie, il lui fit une cour à l'ancienne, assez maladroite, au point que ce fut Thérèse elle-même qui, un soir qu'ils étaient tous deux assis sur les racines d'un peuplier, lui prit la main avec assez d'insistance pour éveiller en lui le courage enfoui du soldat. Elle devait se rappeler qu'en détaillant l'intérieur de ses yeux, aux paupières rosâtres, elle avait cru y apercevoir un voile brumeux, propre aux destinées précoces.

– Cet homme mourra jeune, avait-elle pensé.

Un mois n'était pas passé depuis le pique-nique de Pirque que Lazare était de retour à Santo Domingo, parlant un espagnol mêlé de mots mapuche, rajeuni et fort, suivi d'une charrette où voyageait Thérèse, comme une nomade, portant à son doigt une bague faite en liane de roseau. À la vue de son fils et de sa future belle-fille, Delphine rougit d'émotion en comprenant la nouvelle des fiançailles, et, lorsqu'elle courut le raconter à son mari, le vieux Lonsonier, installé sur une chaise à bascule, ne put contenir un enthousiasme admiratif.

– Quel garçon ! s'exclama-t-il. Il est allé se chercher une Française chez les Indiens.

Le mariage se déroula pendant la dernière semaine de décembre. Thérèse était vêtue d'une robe bleue de satin brodée au petit point, avec une longue traîne en tulle soutenue par deux petites filles. On invita à la cathédrale toutes les familles françaises de Santiago et des villes alentour qui arrivèrent du flanc de la Cordillère, chargées de caisses de leur meilleur cru, de grands vases blancs et de couronnes de fleurs en cascade, pour assister à la bénédiction de l'évêque. Dans des assiettes peintes à la façon de Bonnard, on sacrifia deux moutons qu'on servit par morceaux après les avoir rôtis dans le jardin, et on finit la soirée dans le salon de Santo Domingo, où chaque coussin, tissé d'étoffes fanées, avait été cousu aux initiales entrelacées des deux époux.

Vers minuit, Thérèse monta dans la chambre. Lorsque Lazare la rejoignit, la pièce était embuée, comme si on avait fait couler un bain. Il gratta une allumette et une fragile flamme dessina un cercle de lumière dans la pénombre. Il aperçut alors Thérèse nue, débordante de jeunesse, d'une beauté arrogante, couchée au milieu du lit. Il ne soupçonnait pas que la nudité d'une femme pouvait contenir tant de collines, tant de pics, tant de ravins et de failles. Elle semblait avoir cultivé cette virginité dans une obscurité tellurique, à l'ombre des regards, avec un effacement pudique, tel un faucon timide, et Lazare voulut croire qu'elle s'était réservée uniquement pour ses étreintes. Au contact de son corps, il remarqua qu'elle avait la peau aussi douce qu'un duvet de pêche, épongée pendant des heures à l'ambre de mélasse, parfumée d'une fragrance de miel. Mais quand il approcha son visage du sien, une puissante odeur de citron fit brusquement remonter de sa mémoire le feu des combats et les rémanences de la guerre.

Lazare recula. Son corps tout à coup se ferma comme un poing. Ses muscles se tendirent, sa bouche se froissa, et un vertige entra dans l'instant, accompagné d'excuses confuses. Il se leva du lit, marcha à travers la pièce avec des gestes gênés, embarrassés, livrant ainsi à Thérèse aussi bien les imperfections de son corps que celles de son cœur.

Elle soupçonna à cet instant que cet homme portait une plaie muette que chaque mouvement imprudent, chaque senteur inattendue, chaque parole déplacée, pouvaient ranimer. Elle commençait à le connaître dans son silence gauche, plein de blessures secrètes. Bien qu'elle n'eût pas vécu les affres et les angoisses de la guerre, elle avait l'impression de pouvoir reporter dans son esprit les mêmes sacrifices et les mêmes vénérations qui habitaient le sien.

Pour le calmer, elle l'attira dans le bain, qu'elle parsema de fleurs de bleuet et de coriandre. Il se laissa frotter le dos avec une éponge et le torse avec de l'huile de coco afin d'adoucir la cicatrice de son poumon. Avec soin et minutie, elle rendit à la rugosité de sa peau sa suavité, massa ses muscles noués, puis, d'un geste innocent, plongea lentement son bras entre ses jambes, et d'une main appliquée et adroite, lui restitua une vigueur qu'il ne croyait plus connaître. Alors seulement elle entra dans l'eau avec lui, comme une plante marine, posa sa tête sur sa poitrine, et le serra contre elle, immobile et dévouée, déjà blottie dans les mille nuits à venir, dans les déchirements et les épiphanies dont elle ferait partie demain.

L'eau qui l'avait séparé autrefois de Helmut Drichmann le rapprochait aujourd'hui de cette femme avec qui, pour la première fois, il découvrait l'amour. Lazare sentit un appétit vorace et guerrier sourdre dans son cœur, un torrent difficile à contrôler. Inspiré, il fit vibrer la baignoire à pattes de lion avec un tel transport que l'ampoule qui éclairait l'entrée de la maison se mit à clignoter et, dans le voisinage, on le salua pendant un mois d'une révérence embarrassante. Lazare n'oublia jamais cette nuit où cette femme lui avait redonné le goût des odeurs d'agrumes, des corps empilés, des sueurs mornes, tous deux enlacés dans la baignoire en fonte qui avait été celle du premier Lonsonier, et qui était désormais assez large pour recevoir une nouvelle génération.

El Maestro

En 1887, un jeune trompettiste originaire de Sète, Étienne Lamarthe, quitta la fanfare de son village et décida d'aller jouer sa musique à l'autre bout du monde. Il emporta avec lui trente-trois instruments à vent enfermés dans des coffres en bois de cyprès, scellés sous des clous d'argent. Dans le port de Valparaíso, ce jeune brun au teint blême, sans parler un seul mot d'espagnol, débarqua avec quatorze flûtes, huit saxophones, six clarinettes, quatre trompettes et un gigantesque tuba dans une caisse en métal si lourde qu'on crut qu'il s'agissait d'un naufragé clandestin. Pendant trois jours, il traversa neuf lieues de plaines dans une roulotte tirée par une mule aveugle, en portant cet orchestre sous une chaleur étouffante, veillant à leur conservation avec une prudence maternelle et d'harmonieux sortilèges, jusqu'à atteindre Limache, dans la province de Marga Marga, un village planté de tomates et d'orchidées.

Il s'installa dans une maison avec une cour intérieure et des parterres de ciment dont les motifs, rayés comme le pelage d'un zèbre, rappelaient les lignes d'une partition. Le lendemain, il entreprit de recruter des volontaires pour enseigner le solfège et créer une petite bande. Il cloua un panneau sous son porche, à la vue de tous, rédigé dans une langue approximative, sur lequel il écrivit : *École de musique*. Puis il ouvrit sa porte, qu'il ne referma plus pendant soixante-sept ans, afin que toutes les âmes poétiques de Limache sachent qu'il s'y était établi.

En quelques jours, le salon, sans mobilier ni décoration, à peine dépoussiéré, se transforma en une école que peuplèrent de jeunes boulangères qui apprirent à souffler dans des flûtes, des agriculteurs qui s'instruisirent à l'accord des clarinettes et de lavandières qui, avec abnégation et patience, firent leurs gammes dans le silence des sapins. On fit venir de Santiago un piano qui apparut sans ses pieds, cabossé dans les coins, transporté sur une carriole remplie de cageots de pastèques, où deux touches noires avaient disparu, et qui fut accordé grâce à un cordonnier avec des lacets de bottines. On acheta une harpe éventrée et quelques violons maladifs, blancs sur le manche, usés jusqu'à la trame, mais qu'Étienne Lamarthe synchronisa avec tant de passion et de dévotion qu'ils finirent par être considérés à sa mort comme des reliques sacrées.

Bientôt, les cours furent suivis avec assiduité et les répétitions ne manquèrent plus de musiciens. L'unique commissariat du village toléra les improvisations nocturnes et jamais il n'y eut de nuits aussi mélodieuses où, jusqu'aux heures de l'aube, on entendait encore résonner des trompettes étouffées par des foulards de veuves. On mit tant de cœur à constituer cet ensemble qu'au bout de trois mois, adoptant une discipline militaire, les nouveaux artistes de ce hameau perdu interprétèrent un humble répertoire face à la mairie, en offrant ainsi, pour la première fois depuis la création de Limache, devant un peuple de rivières et de collines, un concert de musique baroque.

Le concert fut un tel succès qu'Étienne Lamarthe, surnommé rapidement *El Maestro*, devint en peu de temps l'homme le plus respecté de la région. La tête pleine de projets, la maison toujours remplie de musiciens amateurs, il fit venir plus d'instruments de Lima et de São Paulo, fonda un orchestre symphonique, exécutant des arrangements personnels sur les opéras italiens, afin qu'ils puissent être joués sans difficulté par des gens qui n'auraient guère pu situer Rome sur une carte. Il proposa lui-même des cours de chant lyrique dans sa cuisine et, en décembre 1900, alors qu'on fêtait le nouveau centenaire, il fit parler de lui jusque dans la capitale, car il livra dans cette campagne isolée une représentation de *Norma* de Bellini devant l'intendance, encerclée de bergeries, sur une scène faite de vingt planches et huit tonneaux, sous un décor construit par le fossoyeur du cimetière. Pour commémorer cet instant unique, on éleva un buste de Bellini en cuivre de Chuquicamata, qui resta sur la place pendant plus de cinquante ans, lourd et digne, tourné en direction de l'école de musique, d'où il ne bougea pas jusqu'au décès du *Maestro* avec lequel il fut enterré.

Quatre ans après son arrivée au Chili, Étienne Lamarthe était devenu le meilleur parti de la région. Il se maria avec Michèle Moulin, fille de riches Français qui possédaient des fabriques de chaussures. Ils eurent deux filles : Danièle et Thérèse. Elles grandirent dans un univers d'opéras et de symphonies, étudièrent le solfège avant l'espagnol et leur premier mot fut une note. Danièle apprit le saxophone, tandis que Thérèse, se révélant peu douée avec les bois, développa une si belle voix qu'à huit ans, sans partition, elle parvenait à chanter des airs de Verdi et de Puccini avec une innocence qui devint proverbiale.

Mais, dans les derniers jours de novembre, une épidémie de coqueluche frappa le village. Bien qu'elle eût une santé solide, Thérèse souffrit bientôt d'une toux déchirante et fut envoyée dans les montagnes, sur les flancs de la Cordillère, suivant les conseils de médecins de village qui défendaient les vertus de la pureté de l'air en altitude. Éloignée désormais des accords et des concerts, isolée des grandeurs de Verdi et des opéras de

Bellini, Thérèse découvrit le silence des oiseaux, fait de roucoulements et de piaillements, accédant ainsi à un univers inviolable où un autre chant, démêlé, imposait son triomphe et sa loi.

À seize ans, elle s'installa définitivement dans une hacienda pour étudier l'ornithologie. Elle loua une chambre dans le village de Melocotón qui se nichait très haut, dans le bassin de Río Clarillo, à peine relié au reste du pays par des chemins périlleux et des routes de muletiers. Un jour, alors qu'elle participait à une expédition sur les crêtes de la Cordillère, elle monta en cordée avec ses compagnons jusqu'à des sommets sans neige, traversés d'aiguilles verticales, dont le soleil avait depuis quelques mois déjà fait fondre les châteaux de glace. Le guide expliquait la végétation endémique des quatre mille mètres d'altitude quand, soudain, son attention fut attirée par un bruit au bord d'une falaise. Il eut un geste de halte et fit signe de se cacher derrière un bosquet. Ils avancèrent accroupis, presque rampant, en direction d'un muret de rochers qui protégeait d'un précipice. Thérèse glissa son visage entre les feuillages par-dessus les pierres, et c'est alors qu'elle l'aperçut.

C'était un condor géant, seul sur la montagne, immense sur l'abîme, au manteau de plumes métalliques, dont la tête pelée sortait d'une collerette blanche. La crête entre ses yeux se dressait en une peau dure, jaune et mauve, craquelée de veinures, légèrement tordue à la pointe, pareille à l'écorce d'un chêne. Le groupe, immobile, retenant sa respiration, observait la quiétude noire de cette créature qui marchait autour de son nid comme un monstre autour de son antre. Le condor se redressa et embrassa la vallée du regard, insolent et parfait. Alors seulement il fit claquer sa langue et ouvrit ses ailes, occupant ainsi, en un seul geste, une largeur de trois mètres et demi. Il rejeta son bec en arrière, bomba sa poitrine, et fit jaillir de son ventre vers le gouffre un son caverneux. Ce fut d'abord un éclat de pierre, une plainte répétée, une sorte d'éternuement haché, puis cela se poursuivit avec un souffle sauvage et sec, comme un arbre qu'on déracine, dont l'écho s'étendit à plusieurs kilomètres à la ronde. Ce n'était pas un cri, mais un ronflement sublime de laideur, une musique étrange, et, lorsque ce bruit atteignit son plein épanouissement, sa voix retomba en un sifflement bref, tranchant, qui laissa place à un calme impérieux.

Cette scène provoqua chez Thérèse une fascination telle qu'elle n'en éprouva plus jusqu'à ce que, dix ans plus tard, elle accouche d'une petite fille dans une volière en bronze. Elle perçut peut-être un avertissement, la découverte somptueuse et infâme que cet animal contenait, dans la profondeur de sa gorge, tout ce que l'opéra tentait de mettre dans la sienne. Seules certaines vallées encaissées, seules certaines montagnes, seules certaines démences géologiques pouvaient donc se mesurer aux plus grands arias. Elle qui était un être pur et sans ruse, d'une naïve imprudence, qui avait été éduquée pour chanter devant le monde, ressentit une métamorphose dont elle ne saisit pas tout de suite la grandeur.

À dix-huit ans, elle passa de l'étude des oiseaux au dressage des rapaces. À cette époque, la fauconnerie n'était exercée que par de rares amateurs qui affaitaient des busards dans les plaines sèches et giboyeuses, sous un ciel dégagé, au sein de cercles strictement masculins. Elle se fit difficilement une place parmi ce nid d'hommes aux mains comme des serres qui voyaient des présages dans tous les vols, et dont l'habitude d'assister aux prédations de leurs faucons avait redoublé leur résistance aux tendresses de l'amitié. Thérèse entra dès lors dans un univers où les oiseaux n'étaient plus le symbole de l'inspiration poétique, des enviables libertés, des promesses d'évasion, mais un peuple de becs crochus et de mythologies nocturnes, où les cris évoquent les coassements des crapauds et où les griffes peuvent tordre le plomb.

Elle connut en ces temps des moments difficiles, des vexations de l'équipe, des injustices liées à son sexe. Les mêmes élancements et les mêmes traits dessinaient cette figure, naturellement délicate, mais la révolte intérieure qu'avait déclenchée l'art de la chasse en modifiait soudain l'expression. Elle avait vingt ans quand elle obtint son permis. Elle était parvenue à apprivoiser une buse bleue des Andes, au plumage pâle, à la poitrine ardoisée de mouchetures, dont les yeux étaient capables de distinguer une pièce de centime à cent mètres de distance. Pour sa couleur de pierre, elle la nomma Niobé. Avec art, elle la portait sur son poignet, une cordelette attachée aux lanières de ses pattes, qui se confondait avec une branche d'*avellano*. Tous les jours, elle la pesait avant chaque entraînement et notait la quantité de nourriture donnée, le type d'exercice et ses réactivités de rappel en plein vol. Dès que l'oiseau accepta sans timidité de décharner, et de becqueter au poing, elle put le promener dans les fourrés et les plateaux battus par les vents, sur des hectares à découvert que seuls traversaient des pasteurs et des pèlerins solitaires.

Au bout d'un mois, la buse put chasser. Dès qu'elle voyait au loin une proie fugitive, elle bandait ses muscles comme un guépard avant un saut, tendait le cou en fixant la plaine et, les serres trouant le cuir, bondissait en perçant l'air. Elle prit l'habitude de voler plus loin, près des campagnes sèches, couvertes de *laureles* et de fleurs de brousse, où des voyageurs plantaient parfois leurs tentes.

Un jour que le vent était chargé d'une lointaine odeur de charogne, la buse, guidée par son instinct, poursuivait la puanteur d'une carcasse qu'elle ne parvenait pas à localiser. Haut dans le ciel, elle repéra enfin un pelage de renard entre les herbes et piqua, attaquant par l'arrière avec une vitesse foudroyante, les serres vers l'avant, concentrant toute son énergie en une formidable chute, mais se heurta à une veste en peau de bique.

La buse recula, effrayée par cette masse bien plus grosse qu'elle. Lazare Lonsonier, frappé, poussa un cri. La surprise les sépara d'un bond. Thérèse accourut immédiatement.

– Excuse-la, s'exclama-t-elle. Elle t'a pris pour un renard.

Ils se revirent quelques jours plus tard, et c'est ainsi que, pendant les nombreuses années de mariage qui suivirent, chaque fois que Lazare prenait le bain avec Thérèse, il bénissait le jour où Aukan lui avait posé une peau de bique sur les épaules. Après la nuit de noces, Thérèse tomba enceinte. Son visage prit la couleur d'une tige de camomille. Elle ne mangea plus que des duracines vermeilles, du *choclo* en soupe, et prit l'habitude d'enduire son ventre de gel d'aloe vera pour éviter les vergetures. Elle jouissait d'une telle santé, d'une telle vigueur, qu'elle devait atteindre la dixième semaine de grossesse sans connaître une seule minute de nausée. Pour prévenir les crevasses, elle se recouvrait les seins de jus de canne. Pour améliorer la qualité de son lait, elle soignait son alimentation et répétait des incantations magiques qui éloignaient le mauvais œil. Elle qui, depuis son mariage, faisait la toilette de son mari, lui tondait la barbe, remplissait sa baignoire d'eau tiède pour calmer son poumon, devint celle à qui, à son tour, il faisait couler des bains, talquait le cou et coupait les ongles de pieds avec des ciseaux en argent.

Delphine et le vieux Lonsonier comprirent que le couple avait besoin d'espace. Ils quittèrent la maison de Santo Domingo, sans bruit, avec une discrétion pleine d'énigmes, et s'installèrent à Santa Carolina. Même Lazare ne s'aperçut pas alors que sa mère s'était déjà enfoncée dans un univers parallèle, le cœur effrité par la mort de ses deux fils, écrasée par une terrible tristesse, et ce n'est que très tard, lorsqu'il comprit qu'il ne la reverrait plus, qu'il marqua ce départ comme une date importante dans sa vie.

Un après-midi de juin, sentant une tempête intérieure s'annoncer, Delphine sortit de sa chambre à Santa Carolina peu avant le crépuscule pour faire sa promenade habituelle. Elle se coiffa de sa capeline, se couvrit les doigts de ses bagues en médailles fondues, et se dirigea vers un lac où des saules sans feuilles laissaient pencher leurs branches. On la vit partir vers la lagune d'irrigation, laissant toutes les fenêtres ouvertes derrière elle, ne prenant pas le soin de fermer la porte. Au lieu de s'arrêter au rivage, elle continua à avancer sans ralentir, laissant l'eau la couvrir jusqu'à la faire disparaître, comme si elle voulait atteindre le centre du marais. On dit qu'elle poursuivit sa marche jusqu'où sa respiration le permit, bercée par cette prairie sous-marine, entourée d'un bal spectaculaire d'épis d'eau et de potamots, et que dans ses poumons entrèrent deux poissons dorés. Au bout de quelques minutes, la moitié du lac pénétra dans son corps comme dans celui d'un lamantin, si bien que son cadavre ne remonta jamais à la surface et qu'il fallut trois plongeurs pour l'arracher aux eaux visqueuses qui avaient déjà commencé à l'engloutir.

Sa tombe fut installée au bord de la forêt, sur un promontoire en pierre, couverte par des bégonias et des feuilles de cerisiers, à soixante-six centimètres de profondeur. On coucha Delphine dans un cercueil d'un mètre quatre-vingts, en bois d'olivier, sur lequel on fixa une plaque en métal portant son nom. Mais son corps, dans les obscurités de la terre, était si imbibé de cette noyade que de ses pores s'écoula une huile terreuse, tout imprégnée d'un parfum d'herbe mouillée, chargée de plantes aquatiques et d'écailles de poisson. Au bout de deux jours, la sépulture fut inondée. Il jaillit tant de fange de la terre qu'à la fin de la semaine le promontoire n'était plus visible, et qu'on dut siphonner quarante litres avec un tuyau qui se boucha à cause d'une bague en bronze.

Le vieux Lonsonier porta un deuil sévère et ne se remaria jamais. Il respecta un veuvage discret, loin des convenances et des courtoisies, et décida de guérir son âme en envoyant, le deuxième mercredi de juillet, toutes les affaires de sa femme à la maison de Santo Domingo. C'est ainsi que la nouvelle de la mort de Delphine parvint à la capitale, accompagnée de coffres et de malles qui s'entassèrent à l'entrée. On n'avait pas vu autant de bagages depuis l'époque des expériences culinaires. Pendant neuf mois, les pièces se remplirent de balluchons, de boîtes à anse de dragon et de valises de toilettes d'une autre époque, de nécessaires en faïence et de brosses en poil de chameau, de dentelles de soie et de voilettes couleur prune. Tout venait pêle-mêle dans des emballages élégants qu'on n'avait presque jamais ouverts, et que ni le temps ni les mites n'avaient pu endommager. Thérèse, enceinte de plusieurs mois, surveillait et dirigeait les opérations, assise sur une chaise de rotin, les mains croisées sur la courbe de son ventre orné d'une ceinture de fausses perles. Parmi tous ces cartons, il y en eut un qu'on posa en hauteur avec une attention religieuse. Lazare devait se souvenir, bien des années plus tard, que le premier oiseau de la maison était arrivé cet hiver, dans une caisse de pin sylvestre, entouré d'une forte odeur d'ail des ours.

C'était une cage jaune, protégée de camphre et de plumes artificielles, qui contenait deux perchoirs, dont un en balançoire. Elle était si lourde qu'elle nécessitait la force de deux hommes pour la porter. Quand on l'ouvrit avec précaution, Thérèse découvrit à l'intérieur une sublime créature des forêts du nord qu'on avait probablement capturée dans les Flandres, au fond du Mont noir, près de Bailleul, entre des sapins enneigés et des beffrois maudits.

– Les hiboux sont signe de bonne fortune, dit-elle.

Il avait un plumage mauve de roi mage, mais roux sur la poitrine, avec deux yeux dorés, un bec court et pointu. Sa posture ténébreuse lui donnait l'air d'un peintre hollandais. Aussitôt, Thérèse s'en occupa avec une tendresse méthodique, bientôt assistée par Lazare qui jaugeait en silence, d'un regard jaloux, cet animal qui retenait aujourd'hui l'attention qu'autrefois on lui accordait. Thérèse voulut d'abord le nourrir dans sa cage d'origine, sans le déplacer tout de suite, par peur de le traumatiser. Elle lui mit de la musique, comme elle l'avait lu dans un livre, et acheta des disques de chansons belges pour lui éviter le dépaysement. Elle lui parlait avec une joie roucoulante, mettait des compléments alimentaires dans ses graines et interdisait de le laisser seul. La rumeur du quartier l'associa à un exilé de la guerre. On raconta que, puisque toutes les forêts de France étaient en feu, même les oiseaux prenaient le bateau. On le crut issu de la sorcellerie flamande ou tiré d'un conte de la mythologie scandinave, porteur de maladies pour les nouveau-nés, mais le hibou, comme un membre de la famille, sourd à ces tapages, imperturbable et tenace, s'adapta avec aisance. Il grandit, allongea ses plumes, prit du poids, et il eût fini par ressembler à un aigle, si la dictature, bien des années plus tard, ne lui avait logé une balle entre les deux yeux.

Inspirée par sa bonne acclimatation, Thérèse dressa une liste rigoureuse d'espèces qui pourraient éventuellement cohabiter avec lui. Elle fit par intervalles des allers et retours au musée d'histoire naturelle dont elle rentrait enivrée d'une littérature ornithologique sur l'alimentation du pic-vert, la moustache des panures, la jalousie des inséparables et la rareté du guêpier. Tandis que son ventre grossissait, elle importa petit à petit, les uns après les autres, des oiseaux qui arrivèrent dans la famille Lonsonier après avoir franchi les douanes secrètement, comme s'il s'agissait de produits de contrebande. Parfois, les boîtes venaient avec des œufs verdâtres et tachetés, cachés sous des touffes de paille, qu'ils avaient pondus pendant la traversée, et que les servantes cherchaient à couver avec des draps chauffés, courant en tous sens pour trouver des endroits où les poser. Les pièces de la maison se remplirent bientôt de cages érodées par le sel de l'océan, battues dans un tourbillon affolant de merles et de sarcelles d'été, de linottes mélodieuses et de corneilles mantelées, d'alouettes des champs et de hérons cendrés qui voletaient en désordre, ivres de liberté.

Au bout d'un mois, leur nombre dépassa celui des habitants de Santo Domingo et les odeurs de fiente rendirent l'air irrespirable. Ils envahirent les patères ébréchées comme des cordées de notes noires, posés sur des mangeoires qu'on avait installées à quelques centimètres du plafond, papotant comme des collégiennes, s'ébouriffant et piaillant en chœur dans un bruit de castagnettes. Deux tarins des Aulnes, en calotte et bavette, parvenus dans un baluchon, survolaient les escaliers d'un commun élan et un mainate religieux, qui ressemblait à une madone italienne, chantait entre les livres de la bibliothèque. Un coucou avait pris la coutume d'abandonner ses rémiges teintées de pétrole dans le nid des autres. Les couples de paddas fabriquaient des foyers de branches dans les armoires, entre les soieries pliées, d'où l'on entendait sortir des gazouillements d'oisillons, tandis que les moineaux du Japon, trapus comme des galériens, le ventre écaillé de blanc chevronné, picoraient des tableaux de nature morte qu'ils prenaient pour des épis de plantain. Dans tous les coins, dans la salle de bains et dans la cuisine, on trouvait sans cesse des petits bols avec des graines de tournesol, des cacahuètes et des noix hachées, mais aussi des œufs de fourmis et des teignes de ruche que Thérèse disposait comme un chemin balisé et que Lazare vidait avec exaspération. On acquit un coq, pour le symbole de la France, et même une pie sauvée des flammes qui, après avoir trouvé une braise sur le sol, avait mis le feu à son propre nid.

Bientôt, la patience de Lazare atteignit ses limites. Le jour où il débarqua chez lui et constata le nombre prodigieux d'oiseaux, les fientes aux vitres et les tapis tachés, il estima que l'affaire avait dépassé les frontières.

– Si on doit vivre à plusieurs dans cette maison, que ce soit chacun de son côté.

Il se mit en tête de construire une volière. Il effectua de brefs déplacements en dehors de la ville dont il revenait chargé de tout un éventail de matériel de construction. En gros sabots fourrés de paille, vêtu d'un vieux manteau de camelot, il coupa du bois, fixa des chevrons, déroula des panneaux grillagés, emboîta des embouts, posa un toit, boulonna des équerres.

À la fin du mois, la volière se dressa au milieu du jardin. Elle ressemblait à une petite pergola à barreaux de fer avec une seule porte fermée par un verrou en forme de salamandre. Elle était isolée des courants d'air par un dôme en bronze laissant passer la lumière et, au centre, de l'eau jaillissait d'une source souterraine et remplissait une vasque de marbre pour abreuver les oiseaux. Pour Lazare, ce bruit de l'eau qui courait était comme un signe de richesse, presque d'ostentation, car il se donnait le luxe de la laisser couler librement, par simple goût de l'entendre se verser. Dans cette construction haute de quatre mètres, au sol bétonné pour éviter les intrusions des fouines, il installa des cages d'osier pour les tourterelles, des maisonnettes pour les chardonnerets et, pendue aux grillages, une dizaine d'os de seiche sur lesquels les canaris pouvaient s'affûter le bec.

Thérèse organisa l'exil collectif. En une semaine, elle fit transporter près de cinquante oiseaux de vingt-cinq espèces différentes. Elle faisait des allers et retours réguliers, ordonnait la disposition des lieux en vérifiant leur alimentation. Un livre à la main, elle disposait des bâtonnets à base d'œufs et d'orange, retrouvant ainsi, pendant cette période, les occupations rurales qu'elle avait eues dans ses jeunes années à Río Clarillo. Deux jours plus tard, lors d'un après-midi clair, pendant qu'elle remplissait les nichoirs, elle sentit une douleur si pointue dans son ventre qu'elle dut s'asseoir au centre de la volière. L'enfant remua avec férocité dans ses entrailles, s'agita violemment dans ses profondeurs, mais les activités du chantier, les rangements de la maison, les fatigues du potager l'avaient préparée physiquement à ce moment. Elle ferma alors la porte de la cage, leva les bords de sa robe et, sous le regard ahuri des paddas du Japon, se prépara à accoucher sur un sol d'écorces de pin.

Ce furent alors des heures de hurlements, respirations et contractions, qui attirèrent toutes les matrones du voisinage et tous les enfants du quartier, si bien qu'il y eut rarement un accouchement avec autant de témoins que celui de Thérèse Lonsonier. Ramassée au sol, elle lutta contre cet ange invisible qui jaillissait d'elle, rompue par sa présence incandescente, se laissant guider par les étranges et difformes pupilles des moineaux et des canaris. Cette déchirure qui s'agrandissait entre ses jambes, cette tête fétide et imbibée qui apparaissait, c'était la difficile offrande qu'elle faisait au monde, mais aussi la jalouse appropriation par laqu elle la volière tout entière réclamait son baptême.

Une petite boule couverte de sang et de plumes sortit du ventre de Thérèse, et roula sur sa tête comme un œuf au milieu du tumulte des piaillements, d'un concert de cris et de hululements. Son visage minuscule, couvert d'un duvet de vautour, fixait le dôme en bronze, d'où le hibou de Thérèse l'observait avec un silence majestueux. La petite fille s'enroula dans le coude de sa mère, comme si elle se lovait dans un nid, et c'est alors que quelque chose fondit dans le cœur de Thérèse d'une insoutenable tendresse. Étonnée par la brusque bénédiction qui venait de lui tomber sur les épaules, elle leva l'enfant dans ses bras, et cette naissance constitua un changement si frappant dans son équilibre qu'à compter de ce jour elle qualifia les nouvelles en les datant d'avant ou après.

Un samedi de fête, à 20 heures, naquit Margot. L'enfant, dont la première vision fut celle de cinquante oiseaux sur des perchoirs, ne parvint jamais à s'endormir ailleurs que dans la volière. Thérèse devait se déplacer au crépuscule dans la grande cage, s'y installer au milieu sur un tabouret, et attendre que Margot ferme les yeux jusqu'à ce que la nuit l'enveloppe d'un essaim de libellules et de papillons ocre. En ces temps, Santiago avait déjà perdu son aspect de village aux silhouettes sombres drapées de mantille, aux grands chapeaux de dames et aux guirlandes de plâtre sur les façades, pour devenir une capitale cosmopolite traversée de rails de tramways, de câbles et de larges avenues. Des tours d'immeubles commençaient à pousser et les banlieues, hier peuplées de fermes et de basses-cours, entouraient les limites de la capitale comme l'écorce d'un arbre. Des familles riches s'installèrent dans les quartiers de la Moneda et d'Augustinas, se mirent à faire des promenades sur la Plaza de Armas qu'on avait décorée de sentiers ondulés, de lagunes et de kiosques à musique. Tout n'était que prospérité, ascension matérielle, progrès social. La Casa Francesa de la rue Estado, avec son énorme enseigne parisienne, ajouta un troisième étage à son magasin et, devant l'immeuble Union Central, on inaugura le cinéma Lumière.

Tous les dimanches, Thérèse prit l'habitude de se balader avec sa fille dans le Cerro Santa Lucia. On remarqua, à mesure que Margot grandissait, qu'elle n'aimait pas la compagnie des autres enfants. Elle ne courait pas dans le jardin en barboteuse déboutonnée, ne buvait pas l'eau des roseaux du Mapocho, ne se cachait pas entre les arbustes épineux et les herbes folles. Son humeur ordinaire était plate, opaque, embastillée dans une forteresse secrète. Elle ne montrait d'intérêt pour rien, n'avait aucune curiosité. Elle était toujours habillée jusqu'au cou avec des robes à col bleu dentelé, pâle et discrète, ne manifestant pas la moindre disposition aux jeux de l'enfance. À cet âge, encline au songe, ne comptant pas d'amis, elle était capable de passer une journée entière sans prononcer un mot. Rien en

71

elle ne laissait présager la femme bagarreuse, aux ambitions fabuleuses et extravagantes, aux victoires éclatantes qui devait fasciner les foules plus tard.

Des Lonsonier, elle avait hérité le sang jurassien, les yeux d'automne et le port digne. Elle incarnait ce mutisme arrogant des peuples de l'arrière-pays. Des Lamarthe, elle tenait cette propension méditerranéenne à surprendre, dans les instants les plus inattendus, par de brèves révoltes. Ce mélange faisait qu'à de rares moments elle était soudainement traversée par des gaietés inattendues, des plaisirs furtifs, des joies vives, mais qui disparaissaient aussitôt, comme des coups d'épée dans l'eau. Sa mère fut peut-être la seule à comprendre la distante rêverie de sa fille qu'on confondit avec de la froideur de caractère. Thérèse fit donc venir Aukan, qui avait gagné la confiance de la famille Lonsonier depuis ce jour où il avait tenté de soigner Lazare. Il arriva en gambadant avec une telle légèreté, si jeune et frais, si parfumé et enfantin, que Lazare lui fit observer que le temps semblait ne pas toucher les sorciers.

– Je ne suis pas sorcier, se défendit-il, je suis *psychologiste*.

Il dit ce mot en français car il sonnait comme *artiste*. Il portait une peau de vigogne, munie d'une cape en lainages, qui lui tombait sur les épaules. Pour tout bagage, il avait une petite besace en cuir remplie d'ossements de dinosaures. Il expliqua qu'il s'agissait de restes d'un herbivore de quinze tonnes et de douze mètres de hauteur, ayant vécu il y a soixante-dix millions d'années, qu'il avait découverts récemment en faisant des fouilles dans le sud de la Patagonie.

– Ses os valent plus que des diamants, dit-il fièrement.

En attendant de trouver un marché pour les vendre, mais aussi parce qu'il était convaincu que des trafiquants d'objets archéologiques les recherchaient, il jugea que la maison de Santo Domingo était un endroit convenable pour les dissimuler. C'est ainsi que des fossiles préhistoriques se retrouvèrent sur une des étagères de la cuisine, rangés dans une boîte à biscuits, et qu'une jeune infirmière les confondit, quarante ans plus tard, avec des pattes de poulet.

Aukan, rassuré, s'installa face à la petite Margot qui, assise dans un fauteuil de rotin, suçant son pouce, le regardait avec de grands yeux vides. Thérèse lui demanda s'il avait des enfants, il répondit :

– J'en ai cent.

Il avait apporté dans sa poche, en plus des morceaux de dinosaures, un trésor qu'il n'avait gardé que pour elle. Au centre d'une lumière voilée, dans un cliquetis de bracelets, Aukan déroula un discours qu'il paraissait avoir appris par cœur. Il était question de voyages dans les pics enneigés, de traversées de *pampas*, de chemins mystiques et de forêts d'hiver, où vivaient des Mapuches qui absorbaient de l'*ibadou*. Il expliqua que lorsque les indigènes mâchaient l'*ibadou*, ils parvenaient à monter dans les airs jusqu'à atteindre quatre mètres du sol.

– Lorsque j'ai passé mon bâton sous leurs pieds, ou au-dessus de leurs têtes, pour découvrir un artifice, j'ai compris qu'ils pratiquaient la lévitation.

Margot s'agita sur sa chaise.

– La lévitation ? interrogea-t-elle en scrutant sa mère.

– Des histoires de *machis*, expliqua Thérèse avec un geste négligent.

Aukan sortit alors de son sac un petit tubercule blanc, dur et sec, comme une racine de fougère qu'il frotta entre ses mains.

– L'*ibadou*, c'est bien plus.

Il joignit ses paumes, enfonça son nez dans l'ouverture et inspira avec force. Ses yeux roulèrent, ses joues pâlirent.

– Prêtez-moi votre bague, dit-il à Thérèse.

Aukan prit le bijou. En fronçant les sourcils, dans une profonde concentration, il invoqua des forces célestes, sépara ses paumes et la bague, au milieu, resta suspendue comme si elle flottait. Il la fit gracieusement virevolter, papillonner, tournant ses doigts autour pour prouver qu'il n'y avait pas d'astuce. Au bout de quelques secondes, Aukan referma ses poings. Il poussa un soupir comme s'il venait de faire un immense effort, rendit la bague à Thérèse, puis se permit un silence, un silence sage et respectueux, qui sembla introduire une vérité.

– La lévitation, c'est le futur.

Margot écarquillait les yeux avec un ébahissement qu'on ne lui avait jamais vu. Devant les Lonsonier, encouragé par ses regards admiratifs, Aukan se mit à dresser la liste des lévitations des caciques de sa communauté, ainsi que celles des chamanes et des médiums, rapportées par les vieux chroniqueurs de Nacimiento, ignorant qu'il donnait là à Margot ce qui deviendrait plus tard la seule obsession de sa vie.

Il nomma son frère Huenuman qui, pendant un rite, était resté suspendu dans le vent pendant trois jours sans se nourrir et qu'il avait fallu redescendre avec une corde avant qu'il ne tombe de faim. Le chef indigène Rutra Rayen qu'un missionnaire avait surpris en s'élevant à une coudée du sol et qui fut immortalisé sur des vitraux d'une église européenne. Il mentionna le cas de deux chasseurs qui, après avoir consommé de l'*ibadou*, montèrent si haut qu'on les perdit de vue et qu'on ne les retrouva que quelques heures plus tard, terrorisés et muets, assis au sommet d'un chêne. Il existait aussi, selon lui, des cas de demi-lévitation, des illusions aériennes, des somnambules qui feignaient des extases, des faussaires habiles qui se livraient à des jeux de magnétisme, mais rien n'était plus impressionnant que l'histoire de cet homme qui, en pleine transe, pendant une procession dédiée à saint François d'Assise, avait volé au-dessus de la foule, s'élevant dans les airs sans effort, en sandales et robe de bure, montant droit vers le ciel comme une chandelle. C'était un frère, Joseph de Cupertino, qui s'était envolé devant cent spectateurs subjugués, sans appui visible ni force physique, seul face à la biologie divine.

– Il est le premier aviateur, conclut Aukan.

Margot trembla. Une question lui monta aux lèvres sans qu'elle eût songé à la retenir :

– Le premier quoi ?

Ces mots prononcés avec la précipitation de la jeunesse furent pour elle comme une prophétie. À compter de ce jour, elle vécut le prologue d'une vocation. Bien des années plus tard, Aukan devait avouer que la lévitation de la bague n'était qu'un vieux tour de magie nécessitant simplement un fil invisible extra-fin, deux boules de cire sur chaque ongle et un bon scénario. Il avait pensé, grâce à sa performance, lui enseigner l'art de l'illusion. Il en fit une aviatrice.

Après cette rencontre décisive, le visage de Margot prit cet étrange mélange d'intensité et d'absence qui est la marque des êtres passionnés. La nuit, elle attendait que tout le monde soit couché, puis se faufilait hors de son lit, écartait les rideaux décorés de nénuphars peints, ouvrait les battants et, avec une audace qui n'était pas de son âge, sortait par la fenêtre de sa chambre. Elle marchait alors sur le toit à petits pas de souris, passant par les lucarnes du grenier ou par les jalousies ouvertes des étages, en veillant à ne pas se montrer sous les volets des servantes, s'approchant le plus possible des rebords pour goûter à la sensation du vertige, enivrée de hauteur, se risquant à laisser pendre une jambe pour sentir l'entêtante terreur de la chute. Elle se figurait qu'elle lévitait par-dessus la ville, prenant son envol au-dessus des berges du fleuve Mapocho, et elle planait loin, virevoltant dans les airs, gracieuse et agile, tournant autour de la cathédrale de l'Assomption-de-la-Très-Sainte-Vierge, plongeant vers le musée des Bellas Artes, ou s'élevant sur les arbres du Parque Florestal jusqu'à la place Baquedano, voyageant ainsi dans cet avion imaginaire, flottant comme saint Joseph de Cupertino par-dessus les hommes et les chapelles.

Ce fut son grand-père, Étienne Lamarthe, *El Maestro*, qui lui offrit son premier livre sur l'aviation. Il était question des expériences des frères Caudron qui, dans la baie de Somme, avaient disséqué des oiseaux pour découvrir, dans l'écriture cachée de leurs intestins, le mystère du vol. Comme son grand-père, qui avait eu toute sa vie une attirance pour les aventures insolites, Margot, sans jamais avoir vu une aile métallique, devint imbattable en matière d'aéronautique. Quand elle eut quatorze ans, Amelia Earhart fut la première femme à traverser seule l'Atlantique. Dès lors, elle se fascina pour les femmes aviatrices qui, à son époque, accumulaient les records. Elle voulut ressembler à Maryse Hilsz qui, à bord d'un Morane-Saulnier, sans radio, avait volé onze mille kilomètres depuis Paris jusqu'à Saïgon. Elle suivit avec passion la traversée de Léna Bernstein d'Istres en Égypte, le Fokker de la duchesse de Bedford qui volait avec une robe à traîne et un décolleté en dentelles, les légendaires voyages d'Amy Johnson jusqu'en Australie, les heures glorieuses de la néo-zélandaise Jean Batten qu'on avait surnommé la Garbo des airs, et bien sûr, elle connaissait par cœur l'histoire d'Adrienne Bolland qui, à vingt-cinq ans, avait survolé la Cordillère des Andes, sans carte ni instrument de navigation, seule, à bord d'un avion fait de bois et de toile.

Elle ne sortit plus dans la rue en robe et en serre-tête, vêtue d'un corset et sandales, mais coiffée d'un bonnet en cuir surmonté de lunettes d'aviateur. Elle s'inventa un uniforme avec un pantalon en coutil et des bottes noires rembourrées de poils de mouton, inspiré des photographies en noir et blanc qu'elle avait vues dans les livres de *El Maestro*, et épingla à l'endroit du cœur une broche en forme de corbeau, plaqué or, qu'elle avait volée dans la collection de Delphine. C'était la première fois, dans le Santiago bourgeois de cette époque, que l'on apercevait une femme se promener vêtue comme un homme, mais on conclut par ignorance, ou peut-être avec une inavouable vergogne, qu'il s'agissait sans doute de mœurs françaises. À cet âge, Margot avait le regard perdu, mais sa vue, en grandissant, s'était déjà affinée avec cette précision et cette exactitude

qui la feraient connaître plus tard, quand elle inté-
grerait l'académie des forces de l'air. Elle se développa vite, mais resta une fille petite, sans véritable
beauté, avec une épaisse chevelure caramel, et
l'aube d'une taille arrondie. Elle n'avait aucune
disposition pour les petites histoires d'amour, les
médiocrités sentimentales, et se lassa bientôt des
cercles français de Santiago, où l'on commentait les
Années folles comme si on était à Paris et où l'on
fréquentait le « collège des demoiselles » des sœurs
Obrecht.

À dix-sept ans, elle ignorait fièrement Verlaine
et Rimbaud, leur préférant l'étude des fibres syn-
thétiques qui enveloppent les montgolfières. Elle
ne lisait ni Gérard de Nerval ni Aloysius Bertrand,
mais apprenait sans fatigue, avec une curiosité
inlassable, les calendriers des pluies, alors que la
météorologie n'en était encore qu'à ses débuts.
Elle ne connaissait d'Icare que son ascension, car
elle fermait toujours le livre avant sa chute. En
la voyant, on devinait déjà les tentes au bord des
pistes, les masques à oxygène, les puissantes tur-
bulences. Elle ne s'était pas laissé tenter, comme
d'autres, par l'envoûtement de l'uniforme, le
charme du cuir, le prestige et les galons ailés. Margot Lonsonier entrait dans l'aviation comme autrefois on entrait dans les ordres, pour y embrasser
une vocation et y mourir.

Margot

Le vieux Lonsonier avait prospéré dans sa vigne. Il ne se contenta plus de produire du vin, mais se mit à l'acheter à d'autres domaines du Valle Central, pour ensuite le distribuer dans les grands marchés urbains. Santiago comptait à cette époque huit cent mille habitants sur quatre-vingts kilomètres carrés. Profitant de l'expansion de la ville, Lonsonier installa son bureau dans l'avenue Vicuña Mackenna, artère la plus proche de la ligne de train. Ce chemin de fer, qui reliait la capitale aux villes du sud, comme Puente Alto et Rancagua, lui permit de recevoir rapidement les envois de barriques et les vins déjà mis en bouteille.

Dans cette avenue, les vieux métiers commençaient à disparaître et les nouveaux à les remplacer. Porte après porte, on ne voyait plus le rempailleur de sièges, le ferblantier, le joueur d'orgue de Barbarie dont les rouleaux de papier étaient rongés par un perroquet en cage. On ne voyait plus l'horloger, le falotier avec sa perche à chandelles, ou le *sereno* qui chantait l'heure et la météo. À présent, les Espagnols avaient pris le monopole des quincailleries et des entreprises de bâtiment, les Turcs détenaient la poste, les Juifs les boutiques de tailleurs, les Italiens les épiceries. Remplaçant les anciennes professions, les Français avaient apporté le commerce de détail, amélioré le traitement de l'argent à Lota, les nouvelles fonderies et les mines de Caracoles, et entretenaient six fabriques de parfum de Grasse qui, par leur niveau de précision et de perfectionnement, rivalisaient avec l'exigence de la maison-mère.

En homme de son époque, à son tour, Lazare décida de se lancer dans l'aventure commerciale et créa une entreprise d'hosties dans les locaux d'une ancienne coutellerie. Elle se situait à quelques mètres de chez lui, dans la même rue Santo Domingo, si bien qu'on pouvait l'apercevoir depuis le jardin en se hissant aux barreaux de la volière. Il l'acquit à un prix ridicule le jour où son propriétaire Emiliano Romero, un petit moustachu d'Arica, annonça qu'il ne vendait plus un seul couteau depuis l'arrivée des industries nord-américaines dont les prix frôlaient ceux des artisans de Babylone.

— On m'a ruiné de la lame jusqu'au manche, se lamentait-il en se pinçant la moustache avec les doigts.

À quarante ans, Lazare était un gentleman sensible, à la conversation large et à l'esprit instruit.

Son poumon le dérangeait encore, et il souffrait parfois de migraines, de pressions au torse, de troubles de la respiration, mais avait su taire les orages qui le secouaient par sa hardiesse. C'est ainsi qu'il s'installa dans l'atelier Romero au plafond haut de trois mètres, aux fenêtres allongées comme des vitraux d'église, au sol fait d'une seule pièce de ciment sur laquelle des rémouleurs avaient traîné des meules pour l'affûtage des lames, où l'on avait taillé des manches dans des cornes de buffle, et où désormais on pétrissait la farine comme on avait pétri les métaux. Lazare aima ce refuge dont l'odeur fut jusqu'au jour de sa destruction un mélange de levure et d'acier, de maïs et de forge, et qui devait devenir le théâtre des grandeurs et des décadences de sa lignée. En peu de temps, enthousiasmé par la demande florissante, il attira comme clients les principales églises de Santiago.

Il se rendit compte que la pâte pouvait également servir aux pharmaciens pour enrober leurs gélules et aux producteurs de touron pour aplatir leurs confiseries. En l'espace de quelques semaines, il se procura d'autres presses et des humidificateurs pour les plaques cassantes. On commença par garder les machines dans la grande salle principale, où l'on avait aménagé un espace assez large pour les entreposer, puis rapidement, Lazare fit relier l'atelier à un hangar abandonné par une aile de deux étages, longue et étroite, dont il destina le rez-de-chaussée aux appareils et le premier étage à son bureau de directeur. De sa fenêtre, il jouissait d'une vue sur une partie de Santiago et passait un temps hors du commun dans cette pièce éclairée, qu'il appelait sa « chapelle ». Entouré d'hosties et de farine, il la voulait la plus silencieuse possible, trouvant là un calme et une solitude qu'il ne rencontrait plus dans sa maison, envahie par les cartes aériennes, les cartons de nourriture et les relents de fientes d'oiseaux. En retrait des travaux domestiques, concentré sur l'étude de ses comptes, les réunions avec ses clients et les cahiers des charges à respecter, Lazare vécut une époque de moine travailleur.

Une nuit qu'il dormait dans son bureau, il se réveilla en sursaut après avoir entendu un étrange bruit de pas dans la grande salle des machines. Inquiet, il chercha à s'armer avant de descendre, croyant que quelqu'un s'était introduit dans son atelier, mais il ne trouva pour seule défense que le crucifix de saint Benoît posé sur une table. Il ouvrit la porte discrètement, alluma toutes les lumières d'un coup et découvrit, au milieu de la pièce, un jeune voleur, la silhouette famélique, les cheveux gras, les vêtements en haillons, qui s'était faufilé dans la fabrique pour manger des hosties. Lazare le menaça depuis la rambarde, le saint Benoît à la main.

– Ne bouge pas ou je te crucifie, cria-t-il.

Il déboula les marches pour le poursuivre et fit tomber des plateaux de farine au sol. Le voleur glissa, Lazare se jeta sur lui. La chance fit que deux policiers, alarmés par le bruit, surgirent en catastrophe. Ils virent Lazare le tenant à terre, le crucifix sur la tempe, et saisirent le jeune homme pour le menotter. Lazare, excité par la bagarre, cria qu'il portait plainte et qu'il témoignerait au procès, mais les policiers ricanèrent.

– Un procès ? Personne n'ira le chercher. On va s'en occuper dans un terrain vague.

La peur qui traversa les yeux du voleur bouleversa Lazare. Il l'examina de plus près et vit un gringalet sans barbe, au visage adolescent et féroce, avec une peau mate qu'un lointain ancêtre ouvrier de salpêtre lui avait laissée.

– Comment t'appelles-tu ? lui demanda-t-il.

Il baissa le menton.

– Hector Bracamonte.

Lazare détailla mieux ses traits et reconnut le fils de Fernandito Bracamonte, le vieux porteur d'eau du quartier qui avait rempli la baignoire des Lonsonier pendant plus de vingt ans. Il le distingua aux mains d'égoutier qu'il tenait de son père, la paume large comme une pelle, les doigts noirs et lourds. Une honte monta en lui et l'image de Helmut Drichmann devant le puits d'eau, orphelin et maudit, réapparut dans son cœur. Lazare demanda aux deux policiers qu'on lui enlève les menottes.

– Je retire ma plainte. Je m'en occuperai en personne.

Quand ils quittèrent l'atelier, Lazare se tourna vers Hector et lui posa le crucifix de saint Benoît entre les mains.

– Il y a un marteau dans ce tiroir, lui pointa-t-il avec le doigt. Va me clouer cette croix.

Le garçon s'en fut timidement vers le tiroir, en sortit un marteau et deux clous qu'il trouva dans un verre, et s'avança vers un mur.

– Non, là-bas, dit Lazare.

Il désigna l'escalier. Hector gravit les marches craintivement et, lorsqu'il arriva à la dernière, se mit à fixer la croix en frappant des coups timides. Lazare l'observa en silence, le front sévère, avec une prudente distance depuis l'entrée. Quand le crucifix fut pendu, il ouvrit la porte qui donnait vers la rue.

– Pour manger, il faut travailler.

Il prit une dizaine d'hosties qu'il lui plongea dans les poches et referma la porte derrière lui. Dès le lendemain, Lazare se rendit au magasin d'Ernest Brun pour acheter un pistolet. On lui vendit un revolver modèle 1892, de couleur noire, dont le bronzage était légèrement éclairci sur les arêtes. Le soir même, il cacha deux sacs de balles dans la fabrique d'hosties, à l'intérieur d'un carton rouge qu'il trouva sur une étagère en hauteur, que personne n'avait ouvert depuis des années, et qui contenait de vieilles feuilles tachées et des lettres de condoléances. Quand il le rangea, enseveli sous des cageots, il pensa qu'il n'était pas prudent de dissimuler au même endroit le pistolet et les munitions, et décida de placer le revolver dans la poche intérieure d'une vieille veste pendue à un crochet.

Deux jours plus tard, à 7 h 30, alors qu'il ouvrait la porte de son atelier, il aperçut le jeune garçon contre le porche, roulé en boule dans un poncho. Hector Bracamonte se leva et se planta devant lui, avec son beau visage de guerrier, un baluchon à la main, et lui dit d'une voix digne :

– Pour travailler, il faut manger.

Lazare l'engagea comme apprenti. Il découvrit en peu de temps un garçon vaillant et loyal, au tempérament discret et d'un caractère honnête. On le voyait aller et venir avec des balais sous le bras, un air de cacique, bâti dans une glaise dure et animale, comme s'il était sorti des entrailles de cet atelier. Bien que ses yeux fussent secs et piquants, il n'y avait pas une ombre de méchanceté dans son regard. Ses sourcils étaient sauvages comme des câpriers, ses cheveux lisses et très noirs, et ses lèvres épaisses donnaient à son sourire la largeur d'un bandonéon ouvert. Il fut le premier et le dernier ouvrier de cette fabrique qu'il finit par aimer comme si c'était la sienne, mais ce ne fut que bien des années plus tard, pendant les heures tristes du coup d'État, qu'il put véritablement remercier Lazare de lui avoir sauvé la vie.

Lazare entra dans une grande période de prospérité. Il se mit à porter des costumes croisés à rayures, avec une valériane à la boutonnière, des foulards brodés de sagittaires et, comme il ne sortait presque plus, des pantoufles persanes. Il se laissa pousser une imposante moustache qui tombait de sa lèvre supérieure en carpette. Il n'y avait, selon lui, pas d'homme plus légitime à représenter sa patrie, plus essentiel à son rayonnement, plus apte à redorer les blasons, que celui qui continuait de cultiver le prestige de sa terre à plus de dix mille kilomètres de distance. Ainsi, il ne quitta presque plus son bureau. Il prit la manie d'y manger, les pieds sur un tiroir ouvert, réalisant d'interminables calculs pour mesurer la rentabilité de ses investissements, passant ses nuits cloîtré entre ses murs, entouré de tours de papiers et de factures, en haut de l'escalier orné de sa croix de saint Benoît. En symbole de sa renaissance, il avait garni une douille d'obus, trouvée chez un brocanteur, d'un élégant bouquet de coquelicots. Il avait même inventé dans son bureau, pour ne pas avoir à se lever quand on frappait à sa porte, un mécanisme astucieux de fils de fer avec lesquels il tirait le loquet à distance. Les clients se multipliaient, les devis s'ajoutaient, les comptes augmentaient, et la laborieuse concurrence absorba tant Lazare dans son entreprise qu'il ne remarqua pas l'entrée de sa fille dans l'adolescence.

C'est Thérèse qui assura donc la place de mère, de gardienne, d'institutrice, tandis que Lazare, de plus en plus absent, retiré dans ses royaumes de chiffres solitaires, redoutait qu'on le dérangeât pendant ses réflexions. Parfois, il traversait précipitamment le salon pour chercher un papier, prononçait quelques mots, dînait en coup de vent, et cette urgence anonyme, cet éloignement austère, finirent par en faire un étranger chez lui. Thérèse en vint à regretter le temps où il était attentif et timide, où il n'osait faire un pas sans lui demander son avis, l'époque où il était cet homme blessé et doux, fragile dans ce bain aux fleurs de bleuet, qui avait fait irruption dans le vent de sa vie comme une cigogne égarée, avec sa voix tendre et ses bras gauches. C'est pourquoi, quand Margot annonça à sa mère qu'elle serait aviatrice, une profonde lassitude monta en elle.

– Tu verras ça avec ton père, répondit-elle.

Lazare hésita devant sa fille. Il se souvint de l'invasion des oiseaux dans sa maison seize ans auparavant, et en conclut que ce genre d'absurdités aériennes, répétées trop souvent dans une lignée, pouvaient devenir un atavisme.

– Fais ce que tu veux, lui dit-il. Mais ne te mêle pas d'oiseaux.

Lazare eut l'imprudence de la laisser seule avec elle-même, lui qui voulait lui éviter les mauvaises fréquentations. Plus tard, quand il y repensait, il avouait que la dernière chose qui lui serait venue à l'esprit en prononçant cette phrase était que sa fille décidât de construire un oiseau de métal dans le jardin. Au printemps, dans un espace qu'elle parvint à agrandir en déracinant des mauvaises herbes, elle installa une grande bâche et s'attela à reproduire artisanalement le *Spirit of Saint-Louis* de Lindbergh. Elle chercha partout à Santiago du matériel, fouillant dans les brocantes et les quincailleries de l'Alameda, les entrepôts du Mercado et les poubelles des usines de métallurgie. Le jardin se couvrit peu à peu de lames de train éparpillées et de morceaux de gouvernes rectangulaires. À côté des navets et des carottes, sur des herbes couchées, s'allongeaient une moitié d'hélice, comme fendue par l'épée, une aile renversée pareille à une roue tombée d'un char, et des madriers de pin d'Oregon qui s'accumulaient près de la vigne. Thérèse jugeait d'un œil méfiant ces va-et-vient d'objets pleins de graisse et de poussière, abandonnés dans des hangars sales, que personne ne voulait et qui s'entassaient désormais sur son terrain comme dans une décharge publique. Elle ne tenta de la dissuader qu'une seule fois, quand elle surprit sa fille une hache à la main, prête à abattre un des citronniers de la façade pour la structure en bois de ses ailes :

— Ces citrons sont des souvenirs de famille, lui dit-elle.

Mais Margot coupa le tronc de l'arbre et en fit de longues baguettes qu'elle colla pour l'ossature. Elle s'était taillé un uniforme gris sale, large, où flottait son corps, un chandail décoré de motifs d'hélices qui s'arrêtait presque aux genoux, et des sabots dont elle avait renforcé la pointe avec une plaque métallique. À la voir, les bras couverts de taches de cambouis, montant et descendant sur une fragile échelle, elle ressemblait à un naufragé qui, sur une côte abandonnée, fabrique une barque au soleil. Mais elle se rendit bientôt compte que, seule, elle ne pourrait pas en venir à bout. Elle chercha un associé qui mît dans l'affaire la même application et le même espoir aveugle, qui fût propre dans le travail et qui, partageant les mêmes profits, courût les mêmes risques. La rumeur se répandit et, après quelques jours, un jeune garçon se présenta, un mardi de pluie, mouillé jusqu'à l'os, avec de petits yeux noirs enfouis dans des plis bouffis, dont les traits bridés lui donnaient l'air d'un jeune cosaque.

Il s'appelait Ilario Danovsky. C'était un enfant juif du voisinage, vivant dans une maison de la rue Esperanza. Il disait que son père était pilote. Il avait une tête de bouledogue, un nez aux narines écartées, et un visage jouflu, rond et lunaire. Dès qu'il le pouvait, il débarquait chez les Lonsonier dans sa tenue de travail, avec une expression inquiète, sans que sa présence ne fût réellement remarquée, et travaillait à la construction de l'avion, jour et nuit, avec acharnement. On aurait cru qu'une voix intérieure, devinant l'ironie du destin, pressentant l'avenir, lui murmurait de se hâter de vivre. Bien qu'il l'emportât sur elle en force, en poids et en taille, il paraissait s'épuiser plus vite. À l'action de l'un continuait de répondre le geste de l'autre. Entre eux se noua une sorte de camaraderie complice que s'autorisait Margot pour avancer dans son chantier. La simplicité qui marquait leur collaboration empêchait toute ambiguïté, au point que Thérèse se méfia davantage des aspirations aéronautiques de sa fille que des intentions galantes d'Ilario.

Au mois de septembre, on colla les ailes. L'avion, au milieu du jardin, coincé entre le pied de vigne et la volière, ressemblait à une lyre. Il avait des cylindres qui sortaient de partout, des mâts donnant des prises au vent et un train d'atterrissage si rigide que ses roues ne tournaient que baignées dans l'huile. Comme le *Spirit of Saint-Louis*, l'arrière du fuselage était entoilé de coton Pima, qu'Ilario peina à trouver pour endosser son armature, enduit de huit couches de pigments d'aluminium. Depuis Limache, *El Maestro* acheta à un prix ridicule un moteur de moto Anzani, pourvu d'un capot, dont la capacité de cinquante chevaux leur permettrait de démarrer.

Un jour où Thérèse, les surprenant en pleine discussion, les entendit s'emporter sur les dates du décollage, elle fit part à Lazare de ce qu'elle avait entendu, tout angoissée, mais il n'y prêta aucune attention.

– Que ce soit demain, ou dans dix ans, cet avion ne décollera pas, répondit-il.

C'est pourquoi il ne s'inquiéta guère lorsque, le lendemain, en descendant prendre une tasse de café dans le salon, il découvrit sa fille habillée d'une redingote à col de fourrure et d'un gilet de sauvetage gonflable.

– Aujourd'hui, je vole, annonça-t-elle.

Margot cala ses lunettes avec un mouchoir entre le nez et la courroie, puis glissa ses doigts dans des gants de pilote cousus en cuir brun de mouton. Avant de sortir, elle se coiffa d'un casque et marcha vers son appareil, silencieuse et concentrée, comme si elle avançait à la rencontre de l'immortalité. Elle s'était préparée à toute éventualité, à tout accident, à tout imprévu tragique, au point d'en oublier Ilario Danovsky qui se présenta, sans se presser, au petit matin, devant sa porte, déguisé en aviateur des années 1910, avec une culotte de golf et des chaussettes à carreaux anglais. Toute l'audace du costume disait la satisfaction de la peine. Il avait poussé la coquetterie jusqu'à cacher, sous son bonnet, une raie parfaitement droite qui était censée donner, lors de sa descente de l'avion, l'impression qu'il avait fait tout cela sans effort.

Les immeubles à quatre étages avaient commencé à pousser dans tout le quartier, flanqués de grands hôtels et de casinos de luxe, mais la rue Santo Domingo n'était alors qu'une longue route à peine pavée, longée de *quintas* en bois recouvertes de bardeaux, jalonnée de poteaux où l'on attachait les chevaux. La police était vêtue de blanc

93

et les *esquinas* avaient encore toutes leur pilier de pierre et leur crête de tuiles rouges. Le bruit courut assez vite parmi les voisins que le premier avion construit dans un jardin par deux adolescents allait survoler la capitale en décollant de chez eux. Une forme de fierté villageoise s'empara des habitants qui libérèrent les trottoirs des charrettes et des vendeurs de *chinchillas*. On rangea les étals des maraîchers, on mit aux fenêtres des guirlandes de papier plissé, on décora les lampadaires d'étoffes jaunes et noires, si bien qu'en quelques heures, avant l'arrivée de l'avion sur la chaussée, la rue avait l'élégance d'une abeille couchée.

Margot et Ilario n'attendirent pas. Devant les regards subjugués, ils montèrent dans l'appareil et serrèrent la sangle sur leur ventre. Margot vérifiait chaque élément avec minutie, quand un jeune journaliste, mêlé à la foule, demanda :

– Où vous dirigez-vous ?

Elle releva la tête et se rendit compte que la seule chose à laquelle elle n'avait pas pensé était la destination finale. Sans se laisser surprendre, elle songea à Adrienne Bolland et répondit :

– On met le cap vers Buenos Aires.

Il y eut des applaudissements. Encouragée par l'enthousiasme des spectateurs, elle précisa qu'ils franchiraient la Cordillère, dont le col le plus bas était à quatre mille trois cents mètres, à moins quinze degrés. Pour cette épreuve, elle expliqua qu'elle s'était enduit le corps de graisse et de pelures d'oignons qui, selon elle, limitaient les effets du manque d'oxygène. Elle avait même pris une hache dans ses bagages, au cas où ils s'écraseraient, et qu'il leur faudrait trancher une aile pour en faire un toit.

– Si tout échoue, on atteindra l'Argentine par un spectaculaire accident.

On célébra ce courage. Quand elle libéra les freins, la rue se leva comme un seul homme. Le moteur ronfla, et ce bourdonnement lui parut si familier qu'elle eut l'impression d'avoir vécu dans ce bruit depuis sa naissance. L'avion s'ébranla doucement, cahota sur la route pavée, lourd de carburant, tremblant de tout son moteur de moto recomposé. Il défila en faisant des petits sauts de puce devant les acclamations du voisinage, des enfants qui étaient sortis pour l'admirer et des fidèles qui se signaient à son passage.

Il accéléra, mais tout à coup, une forte détonation inattendue, un claquement sec. Il avait à peine pris de la vitesse que déjà il ralentissait. Il progressait avec tant de difficulté, tant de maladresse, qu'on pouvait le suivre au pas. Il fit des crachotements, eut des hésitations, des trébuchements ridicules, puis, finalement, son moteur s'arrêta. Les encouragements de la foule ne faiblirent pas, tous convaincus que le soudain silence du moteur était une étape capitale pour le bon démarrage. Mais Margot fut la seule à comprendre que son appareil ne volerait pas.

Elle en vint à regretter qu'il n'y eût pas d'accident, ou de catastrophe aérienne, quelque chose d'héroïque et de tragique qui aurait pu, par le simple fait de la poser au centre d'un drame, lui conférer une place plus importante dans l'événement du jour. Tandis que l'avion continuait sa course sans moteur, par la seule force de son impulsion, Margot calcula que la route devenait de plus en plus étroite, bornée de réverbères qui s'approchaient de l'envergure de ses ailes. Avant que deux poteaux ne la prissent en étau, Margot freina et son avion stoppa net au milieu de la rue comme un âne têtu.

Ilario se tourna vers Margot. La déception qu'il lut dans son visage le fit tressaillir. Abattue, impuissante devant la panne, une fureur sauvage la secoua. Elle se préparait à s'extraire de la carlingue, quand elle devina un subtil changement dans le murmure de la foule. Ce fut alors qu'une discrète musique se fit entendre. Un passant s'exclama :

– Une fanfare pour le décollage.

Margot dénoua ses sangles, délia la mentonnière de son casque, déboutonna son gilet de sauvetage. Elle se redressa et ce qu'elle remarqua d'abord fut une file de femmes qui marchaient en faisant résonner des tambours, pendant que des hommes, derrière elles, balançaient des trompettes de gauche à droite. C'étaient des hommes et des femmes qui avaient un autre accent, des êtres sublimes à la peau cuivrée, aux cheveux épais, aux mains rugueuses.

Ils apportaient avec eux une foule d'enfants aux yeux curieux et aux pieds pleins de sable, qui débarquaient avec des oiseaux sur les épaules, habillés de costumes étranges comme s'ils sortaient d'une fable paysanne, et qui déroulaient entre eux une pancarte en toile, tricotée par des matrones aux seins énormes, où il était écrit en grandes lettres : *Pour la plus grande aviatrice du Chili.*

Margot ouvrit le cockpit et se hissa sur le marchepied du pilote. Tout à coup, au centre de la ligne des musiciens, apparut, dans une robe de moine, un homme à la baguette. C'était Étienne Lamarthe, *El Maestro*, arrivé de Limache avec tous ses musiciens, qui avait eu l'idée de voyager avec vingt-cinq instruments de son village, brillants et neufs, pour accompagner le premier vol de sa petite-fille.

Elle s'avança vers son grand-père, mais *El Maestro*, encore dans son rôle, la saisit par la taille avec deux grosses cordes. À l'aide de mousquetons, il les attacha à son harnais d'aviatrice et adressa un signe derrière lui. Elle se sentit tout à coup ravir du sol, s'élevant à quelques mètres par un système de cordages et de palans, suspendue dans les airs. Elle s'envola au-dessus de la rue décorée de fleurs et de guirlandes, dans le brouhaha des pétards et des rires, et survola son avion immobile qui n'avait pas décollé et dont le corps échoué paraissait une baleine endormie sur un rivage. Ce n'est que lorsqu'elle fut tout en haut, au milieu du ciel, qu'elle aperçut Aukan à côté du *Maestro* et qu'elle comprit qu'ils avaient recréé la scène de la lévitation de saint Joseph de Cupertino pendant sa procession. Elle mit une main en avant comme si elle serrait un gouvernail, cambra son dos comme si elle s'arc-boutait contre un siège et, seulement à cet instant, s'imaginant sur la voûte des nuages, elle ferma les yeux pour que cet avion invisible lui gonfle l'esprit.

Les Danovsky

Aussi loin qu'on remonte dans la généalogie
de la famille Danovsky, on ne trouve que des rabbins. Jacob Danovsky était le dixième rabbin d'une
longue lignée ashkénaze. Il était né dans l'arrière-
pays ukrainien, aîné de douze garçons, dans un
village au milieu d'une combe touffue et sèche,
un lieu de couleuvres, de pain noir et de croyances
populaires. Sa famille vivait dans un *shtetl* adossé
à un village orthodoxe, où se trouvait une synagogue en bois. Les garçons subissaient une éduca-
tion sévère et un service militaire obligatoire qui,
dans cette Russie tsariste, se faisait davantage en
qualité de serf que de soldat. Depuis un siècle déjà,
on avait assigné la population juive à une zone de
résidence, une frange étroite, un couloir à l'ouest
de la Russie qui s'étendait de la mer Baltique
jusqu'à la mer Noire. Le quotidien de ces familles
était dur, misérable, humiliant. On contrôlait les
activités commerciales, on rationnait la nourriture,

et les rabbins, malgré leur faible influence, étaient les premiers abattus lors des pogroms.

L'assassinat d'Alexandre II provoqua une vague irrépressible de massacres et de pillages. Des chrétiens détruisirent leur village et brûlèrent les livres sacrés dans la synagogue, au point qu'il ne leur resta qu'un cimetière de pierres tristes couvert de cendres et de tôles tordues par les flammes. Les Danovsky abandonnèrent leur maison, leurs navets et leurs sauges, et commencèrent un voyage hasardeux de plusieurs mois, dormant dans des fermes et des steppes, suivant des routes occultes dans des roulottes de Tziganes, au milieu de paille et de betteraves, partageant des liqueurs à base de réglisse avec des vagabonds. C'est ainsi que Jacob Danovsky entreprit la traversée d'une partie du continent, enjamba la Manche et entra dans le Londres du début du siècle, en pleine expansion industrielle, peuplé de jeunes paysans qui ne parlaient pas anglais et qui se regroupaient par dialectes. Le yiddish, trésor de la diaspora juive, formait une invisible toile secrète qui unissait les immigrés de toute l'Europe comme dans un réseau tentaculaire, de sorte qu'il y eut à Londres des faubourgs entiers où l'anglais était devenu une langue étrangère, où les réunions se tenaient dans les antichambres des rabbins, où l'on dressait les tables victoriennes, en sacrifiant des agneaux pour les fêtes hassidiques.

Il se maria avec Paulina, arrivée à Londres avec un groupe de jeunes pionniers de Galitzia, au nord des Carpates. C'était une femme haute, aux longs cheveux blonds et au nez comme un oiseau couché, divorcée d'un homme avec qui elle avait eu une fille, Aida. Les débuts de leurs amours londoniennes furent paisibles, mais rapidement les conditions de vie difficiles, la misère de l'exil et le souvenir des pogroms les firent rêver d'une autre existence, de l'autre côté de l'océan, vers les rivages lointains du Nouveau Monde.

À cette époque, un certain baron de Hirsch, financier juif, s'associa avec le docteur Guillermo Loewenthal, un scientifique visionnaire, pour organiser un vaste mouvement d'émigration des Juifs russes en Argentine. Une rumeur se répandit, évoquée dans les dépêches des journaux d'Odessa, disant que le baron avait acheté des colonies agricoles à trois cents kilomètres de Buenos Aires, pour créer une nouvelle Terre promise. Après vingt siècles d'oppression, cent trente familles juives venant de la Bessarabie, de Podolie, de Moldavie, embarquèrent sur les cargos *Lissabon* et *Tiolo*, remplis de rabbins de Sébastopol et de Karaïtes, de jeunes talmudistes des yeshivas et de sermonneurs polonais, pour rejoindre le port de la Plata. C'est ainsi que Jacob Danovsky, Paulina et Aida, traversèrent l'Atlantique à bord d'un navire qui, dans ses flancs de fer, vit naître Bernardo, un garçon titubant, à l'humeur pluvieuse, qui deviendrait le père d'Ilario bien des années plus tard.

À leur arrivée, ils prirent un train jusqu'à la colonie juive de Carlos Casares, un terrain fait de plaines froides, où le vent agitait des plateaux de cardons, s'étirant à perte de vue en baraques de carton goudronné. Tout était à faire. Il fallait construire des logements, diriger des cultures, passer l'araire. Mais la majorité des hommes n'avait aucune notion de maçonnerie ou de labourage. Ils n'étaient ni bergers ni bouviers. Il fallut faire face aux pénuries d'aliments, aux carences de médicaments, aux invasions de criquets et aux épidémies de bétail. Sur la place centrale de la colonie, ils dressèrent une synagogue construite tantôt en bois d'olivier, tantôt en bois de *quebracho*, pour symboliser l'union des deux mondes. Ils édifièrent un cimetière juif, sans fleurs ni couronnes, et un modeste dispensaire, entouré de *ranchos*, avec une trentaine de lits. Ils enseignèrent à leurs enfants à conduire le bétail au pâturage, mais aussi à dire les prières rituelles. Ces immigrés juifs, pauvres et déchirés, malades et brisés, à qui on avait promis un lopin de terre, transplantèrent leurs coutumes religieuses à des milliers de kilomètres au point que, dès le premier vendredi de mars, les cabanes s'illuminèrent de cierges pour célébrer le commencement du *chabbat*.

En quelques mois, ils s'habillèrent comme des *gauchos*, burent du *mate* en taillant leur propre *bombilla*, apprirent à couper l'*asado* selon la mode *criolla*. Ils bâtirent un poste de carabiniers, une petite écurie et un bazar qui servait de marché où l'on trouvait des gâteaux de pomme au miel. On couronna la colonie d'une école et, en son sein, d'une aile hébraïque où l'on étudiait les cinq livres de la Torah. Le temps dans ces terres se mesurait en saisons inversées, lentes, les montagnes ne portaient pas l'héritage de leurs fables, la marche de ce nouveau peuple ne connaissait pas la hâte des migrations. Au début du siècle, Carlos Casares s'étendait sur quarante hectares et comptait plus de cinq cents habitants. Le terrain était bêché, planté de topinambours et de choux, de haricots et d'épinards, où venaient paître des moutons noirs, clairsemés sur un ensemble de parcelles bigarrées, entourant les berges d'une grande lagune appelée Algarrobo.

Jacob, rabbin de la colonie, s'installa dans une des maisons de la place centrale avec Paulina, Aida et Bernardo. Il était désormais un vieil homme à la barbe blanche, aux mains parcheminées, au corps comme une cosse de caroube, monotone et silencieux, qui labourait les sillons et psalmodiait avec la même indifférente gaieté. Il voulut faire de Bernardo le prochain rabbin de la nouvelle génération, mais son fils, à douze ans, ne suivait pas les enseignements, ne lisait pas le Talmud et jugeait le *chabbat* avec distance. Il n'alla plus à la synagogue et abandonna le yiddish au profit de l'espagnol.

Il fit cependant sa Bar Mitzvah à treize ans, comme l'exigeait la tradition, prononça les phrases nécessaires, chanta avec les téamim, mais ces convenances religieuses furent les seuls sacrifices qu'il concéda à son père.

Il s'éloigna des règles strictes de ses ancêtres et ne se sentit chargé d'aucune mission. Le temps creusa une évolution inévitable des vieilles mœurs, si bien qu'un jour, un samedi de novembre, Bernardo profita que tout le monde récitât les prières à la synagogue pour s'introduire dans la boulangerie de la colonie et manger jusqu'à l'écœurement des pâtisseries interdites. Jacob fut si indigné par ce double crime, tant celui du vol, que celui du viol d'une journée sacrée, si honteux de ce fils qu'il décida de l'exposer à la honte publique en l'attachant à un arbre sur la place du village avec un écriteau pendu au cou :

J'ai mangé pendant chabbat.

Selon le récit de Bernardo, il décida le jour même de quitter Carlos Casares pour s'installer à Santiago, au Chili, où il vécut de ses quinze ans jusqu'à sa mort, sans jamais renoncer à sa nationalité argentine. Il fut aussitôt populaire dans la petite communauté juive de Santiago, dans cette galaxie réduite, soudée comme un chandelier à sept branches, perméable aux alliances saines et transparentes. Il tomba rapidement amoureux d'une comédienne, fille de Juifs immigrés, petite, mince, avec de grands yeux bleus, qu'il connut lors d'une représentation au Teatro Municipal. Ils se marièrent quelques mois plus tard dans la synagogue de Bicur Joilem, construite au sud de l'avenue Motta. Le couple loua un minuscule appartement dans le secteur de Chacra Valparaíso, à l'est de Santiago, au dernier étage d'un immeuble entouré d'arbres sans feuilles, et dont la seule fenêtre donnait sur une place.

Le 21 août, trente ans après l'exil de son père, alors qu'il se réveillait d'une sieste, Bernardo assista au décollage d'un vol de l'aviation chilienne effectué par un Français, César Copetta Brossio, à bord d'un biplan Voisin, qu'il avait armé en une semaine. Le ciel était aux portes. Bernardo fut si impressionné par ce spectacle, si fasciné par cette démonstration du progrès, qu'il décida d'en faire son métier.

Mais comme il pesait plus de soixante-dix kilos, était myope et marié, il ne remplissait aucune des exigences nécessaires pour passer son brevet de pilote et dut se contenter d'intégrer un bureau sans fenêtres, situé dans les locaux du *Mercurio*, la première organisation aéronautique chilienne. Ces années furent ainsi consacrées à rédiger des textes de réglementation, des authentifications de registres d'altitude, des répertoires de durée et de distance. Il travaillait avec des hommes d'affaires qui investissaient audacieusement dans ce marché postal de demain, aidant à doter le pays de nouveaux avions et organisant des collectes de fonds depuis les sables du désert d'Atacama jusqu'aux dernières neiges de Punta Arenas.

Quand sa femme tomba enceinte, le couple emménagea dans la rue Santo Domingo, dans un quartier bourgeois occupé par des familles françaises, où Ilario Danovsky, leur unique fils, naquit. L'enfant avait des yeux comme des pépites de jais, tristes et vagues, qui effleuraient le monde avec une forme de chagrin embarrassé. En grandissant, il se révéla être un garçon timide, tendrement maladroit, une sorte de poète naïf. Rien n'annonçait chez cet être la part héroïque et sublime, houleuse et bruyante, qui devait se confirmer sur un champ de bataille, bien plus tard, pendant une guerre où il jouerait un rôle capital.

À seize ans, il apprit qu'une jeune fille de son voisinage cherchait un assistant pour construire un avion dans son jardin. Le bruit courait qu'elle était orgueilleuse, arrogante et froide, ce qui accrut sa curiosité et le poussa à se présenter sans réfléchir, un mardi de pluie, avec sa tête ronde et ses airs d'oiseau mouillé, à la porte des Lonsonier. Il devait reconnaître plus tard qu'il avait été aussitôt impressionné par Margot, saisi par ce caractère imperturbable et fuyant, droit et fauve. Ce fut une époque où il travailla avec un acharnement dont il n'avait jamais fait preuve auparavant, se laissant guider par cette fille dont le courage l'éloignait de ses propres pudeurs. Il voulait lui plaire, tout autant qu'il désirait attirer l'attention d'un père absent qui, plus ou moins à la même période, s'était engagé dans l'écriture d'une bible de l'aviation chilienne qui l'absorbait tellement qu'il ne vit pas son fils suivre ses pas.

L'école d'aviation et le ministère de l'Air, en lien étroit avec l'Europe, cherchèrent à former des pilotes au cas où éclaterait une nouvelle guerre. Le prospectus ne disait rien sur l'admission des femmes et Ilario comprit qu'il y avait une opportunité à saisir. C'est pourquoi, quand ce jeune Juif, fils d'une longue lignée de voyageurs et de terres promises, d'utopies avortées et de quêtes douloureuses, remarqua que l'avion de Margot ne décollait pas, il parla à son père.

Deux jours plus tard, Bernardo Danovsky se déplaça en personne pour voir l'appareil qu'ils avaient fabriqué. Il fit irruption dans le jardin, habillé d'un pantalon de toile verte et d'un blazer de coupe d'aviateur, et détailla la machine. Il tourna finalement son visage vers Margot et posa une main sur son épaule.

– Dire qu'on élève encore des filles pour faire de la broderie.

Le lendemain, Margot et Ilario furent admis dans un petit club d'aviation, en dehors de la ville, pour des leçons de pilotage. Ils s'attendaient à un royaume ailé, ils arrivèrent dans un entrepôt. Face à eux s'étendait une ferme d'herbage avec trois pistes de terre à peine aplanies, pelées et bossues, clairsemées de flaques d'huile. L'espace était traversé de modestes bergeries à l'aspect industriel. Tout avait un ton gris cendre, un air maussade et délabré. Sur les toitures se trouvaient des ruches et des nids de poule, des potagers de maraîchers et, dans l'atelier de réparation, aussi sale qu'une quincaillerie médiévale, dormait une vieille jument noire. Rien ici n'était plus rural, plus banal, que ce champ de métal, rouillé de fange, fait d'avions amateurs qui allaient et venaient sans panache, se promenant de long en large entre les baraques et la zone de stationnement comme un défilé de charrettes. Aucun imprévu, aucun cérémonial. Les élèves apprenaient à piloter avec des machines à bout de souffle, fatiguées par le vent, mal bâties, qui volaient par miracle.

Comme autrefois Thérèse dans les cercles de fauconniers à Río Clarillo, Margot brava les regards grivois des mécaniciens, les sous-entendus, l'humour leste, et se défendit contre les capitaines qui essayaient de la séduire par leurs récits d'accidents. Elle dut se battre avec entêtement et virtuosité pour conserver les vingt centimètres de cheveux qu'autorisait le règlement et qu'elle préserva comme une dignité féminine. Au bout d'un mois, elle réclama son baptême de l'air. Un matin, alors qu'elle aidait à souder des pièces de carlingue, l'un des instructeurs surgit devant elle et, la considérant rapidement, lui dit :

— Toi, demain, 6 heures.

L'après-midi même, elle passa sa visite médicale avec succès, au point que les infirmières furent impressionnées par sa capacité pulmonaire et lui indiquèrent qu'elle pourrait, si elle le voulait, respirer tranquillement sur les sommets de la Cordillère.

– Vous avez de beaux poumons.

– C'est de famille, répondit-elle.

Le lendemain, dès l'aube, elle se présenta sur la piste de décollage. Mais en arrivant, elle découvrit que non seulement des moutons se promenaient en liberté sur le terrain, mais aussi que des persifleurs avaient couvert la piste de branches, avec un mot écrit à la hâte : *Pour le décollage de Margot.*

Toute autre, moins solide qu'elle, aurait fait demi-tour et serait repartie chez elle, mais Margot releva ses manches, enleva son casque et passa une heure à enlever les rameaux, ravalant ses sanglots. Elle eut une pensée pour Maryse Bastié, dont elle avait lu la vie tragique et passionnante, luttant contre tous les désavantages de son sexe, et eut la douloureuse sensation que la seule chose qui l'unissait à ce groupe d'aviateurs était l'insigne de l'école que le tailleur avait cousu sur sa vareuse. Quand les instructeurs se présentèrent, elle se tenait debout sur une piste propre, lisse, sans moutons ni embûches, prête à exécuter ce pourquoi elle était venue.

On lui assigna un Travel Air qui ne ressemblait plus guère qu'à un cerf-volant à moteur, revêtu de tissu, équipé de commandes archaïques. Elle sauta dans le cockpit, adapta la ceinture à sa taille, fit les vérifications d'usage et démarra le moteur. Un ronflement grave et modulé se fit entendre, un vrombissement venu des entrailles de l'appareil. L'hélice se mit à tourner. Ce qui était il y a encore quelques jours un simple amas de ferrailles et de boulons se mit en marche sur la piste de décollage. On alluma les feux de balisage. L'appareil prit de la vitesse et soudain grimpa vers le vide en quelques bonds.

Elle n'éprouva ni vertige, ni crainte. Seulement la puissance animale de cinq cents chevaux de métal qui l'arrachèrent du sol en dépliant leurs ailes fauves. Elle monta si haut qu'elle eut l'impression que le pays tout entier lui apparaissait d'un seul coup. De gros nuages se fendaient en bosses et protubérances. Les formes étaient courbes, galbées, bombées comme des jarres, suspendues comme des coraux, pleines de veinures secrètes, tout obéissait à des emblèmes féminins. Elle confirma à cet instant que le nom du ciel ne pouvait pas être masculin. Elle ne pouvait croire que les premiers aviateurs aient été des hommes. À le voir, le ciel était d'une féminité explosive, aux rondeurs corollaires. Cette demeure était faite comme un nid, un sein, prouvant que les premières civilisations des nuages avaient été matriarcales.

De ce vol, tous ceux qui suivirent se vouèrent à recueillir l'écho. Margot obtint aisément son brevet d'aviation. Elle s'améliora, progressa plus vite que les autres. On disait qu'elle pouvait toucher la girouette d'un clocher en plein vol et descendre en piqué, à deux cents kilomètres heure, pour ramasser un foulard au sol du bout d'une aile. Mais en mars, par le ton sec des lettres de sa mère, Margot devina sans peine le drame qui se déroulait dans la maison de Santo Domingo qui était tombée, sous le feuillage des années, dans une solitude automnale. Loin de sa fille, distante de son mari, Thérèse succomba à un lent abattement, et ce doux effondrement eut des répercussions sur la santé de la volière qui, sentant ces fractures intimes, se mit à contracter une dépression générale. La maladie s'abattit comme une foudre sur cent oiseaux qui commencèrent à faiblir, à subir des fièvres accompagnées de diarrhées vertes, à avoir les yeux gonflés, à pâlir du bec, tant et si bien qu'on ne pouvait plus entrer dans la volière sans avoir l'impression de pénétrer dans la chambre d'un mourant. Les mésanges avaient la tête pendante, les moineaux le dos rond, les hobereaux les ailes tombantes, les perruches le plumage hérissé, les inséparables souffraient de convulsions. Le hibou de Thérèse perdit tant de grâce, de force et d'élégance, qu'il devint un des rares oiseaux vivant sans plumes, couvert d'une peau rosâtre, qui lui donnait l'air d'un chat mouillé.

Telle était la situation lorsque arriva à la maison Aukan, qui se présenta comme un des meilleurs vétérinaires de la ville, portant à son bras une valise remplie de barbituriques et de seringues. Il ausculta la volière avec des instruments qu'on n'avait jamais vus et se mit à extraire des sécrétions de leurs becs. Minutieux, les mains rapides, les sourcils froncés, il injectait des soupes d'herbes, faisait des ponctions de pus, fouillait les plumages et, parfois, arrachait de leurs ailes des poux gros comme des noix qu'il tuait avec du vinaigre blanc.

– Ils pourraient manger un cheval, disait-il.

Aukan insista pour désinfecter toute la volière. Selon lui, l'isolement des bêtes malades était un pas vers la convalescence et il ordonna de les déplacer sans perdre de temps, une par une, afin de les enfermer dans des pièces spécialement ventilées en fonction de leur espèce.

– Il faut créer un environnement approprié.

Thérèse se défendit en expliquant qu'elle avait elle-même soigneusement dressé la liste des oiseaux pouvant vivre ensemble, mais Aukan lui répondit avec une pointe d'inquiétude dans la voix :

– Visiblement, nous vivons dans un monde où toutes les races ne peuvent cohabiter.

Sur le moment, Thérèse ne releva pas cette phrase et, bien qu'elle fût une femme renseignée, ne vit pas non plus l'allusion à la situation en Europe. En Amérique latine, ce n'est que très tard que les journaux commencèrent à parler d'un étrange personnage, un chancelier allemand qui attirait vers lui les foules et promettait de trouver les coupables de la crise économique. Des rumeurs couraient qu'une guerre pouvait éclater, que la montée du nazisme gagnait les classes les plus vulnérables, et toutes ces nouvelles arrivaient en caravane avec une telle certitude, une telle évidence, que Thérèse en conclut qu'elles ne pouvaient pas être vraisemblables.

L'école d'aviation ne reçut pas l'annonce d'une guerre prochaine, mais bien celle que la volière avait été frappée d'une maladie. Margot décida de rentrer à la capitale par le train du soir et apparut chez elle quelques heures plus tard, en pleine nuit. Elle était revenue transformée par la confirmation de sa vocation, par la vie coriace et athlétique de l'école, au sommet de sa force. À la vue de cette clinique vétérinaire, de la volière à moitié vide, de l'odeur de désinfectant, des pourritures dans les mangeoires et des abreuvoirs secs comme des douves, elle chassa Aukan de sa maison et coucha Thérèse.

Avec cette nouvelle énergie qu'elle avait acquise, elle rangea les médicaments éparpillés sur la table, nettoya les taches, paya les servantes qui réclamaient des salaires. Un masque autour de la bouche, installée dans la volière, elle examina chaque recoin et parvint à la douloureuse conclusion que cet espace ne pouvait plus décemment abriter tant d'animaux. Ces créatures qui, autrefois, montraient leurs plumes rayonnantes dans leur royaume étaient désormais ratatinées, emmaillotées de haillons, dépouillées de leurs nobles postures, tremblantes comme des bagnards. Elles levaient leurs têtes chauves, impuissantes et minuscules, les becs chétifs et les rémiges ridées, en battant des paupières transparentes.

Le soir même, sous sa couverture, elle attendit que tout le monde soit endormi dans la maison comme elle avait attendu jadis le silence complet pour aller marcher sur le toit. Quand tout fut calme, elle quitta son lit sur la pointe des pieds et sortit dans l'obscurité de son jardin. La volière avait la tristesse d'un puits d'eau. Derrière les barreaux salis, le hibou de Thérèse poussait un râle meurtri. Margot put distinguer son corps amaigri, son bec avachi, son abdomen gonflé. Il fixait d'un œil vide sa demeure abandonnée, plongée dans une obscurité laiteuse, comme un lazaret rempli de lépreux. Quelques têtes minuscules sortaient des cabanons pendus aux barreaux, et des œufs pourris, jamais éclos, infectaient l'air d'une odeur fétide. Margot pensa, en tant qu'aviatrice, que le plus grand malheur était de mourir dans une cage, et c'est à cet instant, l'âme blessée, qu'elle décréta que l'heure était venue d'agir avec grandeur.

– Ils rentreront en France, se dit-elle.

Elle ouvrit la porte en grand et déplaça les oiseaux les plus fragiles sur l'herbe. Certains s'envolèrent aussitôt, d'autres se recroquevillèrent, immobiles et patients. Petit à petit, affolés par ce mouvement inhabituel, ceux qui étaient encore dans la cage commencèrent à voleter, à s'ébouriffer, à jaillir dans un tumulte de plumes. Margot libéra cent oiseaux cette nuit-là, comme si elle se libérait elle-même d'une vie ancienne, puis retourna dans sa chambre. Elle fit un cauchemar au fond de son lit, cernée de remuements sournois, où elle entraperçut la volière brûler dans un grand feu vert et des carabiniers achever les oiseaux à l'intérieur. Elle se réveilla toute couverte d'écorces de pin, comme au jour de sa naissance, et se précipita dans le jardin pour s'assurer que la volière était bien vide. Mais lorsqu'elle descendit, elle découvrit avec étonnement que tous les oiseaux étaient revenus pendant la nuit, ne sachant où aller, et se tenaient sur le toit de la cage comme une chevelure de bronze.

Thérèse parut, enveloppée dans un châle, le visage angoissé, un journal à la main.

– Qu'importent les oiseaux, s'exclama-t-elle en lui tendant le journal. L'Allemagne vient d'envahir la France.

Ilario

Plus tard, face aux avions allemands, Margot Lonsonier ne devait jamais saisir complètement pourquoi elle s'était engagée dans cette guerre qui, par sa double nationalité et son sexe, lui épargnait la mobilisation. La maladie des oiseaux devint un problème secondaire et, à partir de ce jour, elle fut tellement obnubilée par ce conflit que certains voisins pensèrent, la voyant si radieuse, qu'elle avait découvert l'amour. Elle s'entoura de cartes clouées aux murs sur lesquelles elle suivait les déplacements du réseau aérien des Forces Françaises Libres, en étudiant la progression des troupes grâce à des pointillés rouges, comme son père l'avait fait lors de la Première Guerre mondiale. Elle fabriqua elle-même son uniforme d'aviatrice, tandis que les jeunes voisines tricotaient des écharpes pour les mobilisés, et tous les soirs, éclairée par une ampoule jaunâtre, rêva de ces provinces éloignées, remplies de villes sublimes que le désordre des explosions effaçait des encyclopédies. Non seulement les journaux

Candide, *Jour*, *L'Illustration* arrivaient toutes les semaines chargés de nouvelles, mais aussi les journaux chiliens *El Abecé*, *El Popular* dédiaient la moitié de leurs pages aux événements, installant des panneaux informatifs sur les façades de leurs rédactions, si souvent renouvelés qu'on avait à peine le temps de les lire.

Le Chili, neutre durant presque toute la durée du conflit, se limita à des menaces diplomatiques et continua d'assurer les courriers de l'Europe jusqu'à l'extrême Sud. Il déclara que ses Fuerzas Armadas étaient, de toute façon, équipées pour approximativement quinze minutes de combat. Peut-être parce qu'ils vivaient loin et souffraient de désinformation, beaucoup de jeunes Chiliens, au début du conflit, soutenaient le Troisième Reich. Comme Ilario Danovsky, ils étaient persuadés que les États-Unis mentaient, qu'ils manipulaient la presse, et que l'Allemagne proposait de nettoyer les démocraties corrompues. Mais les mois passant, dans le nord du Chili, commencèrent à circuler des revues et des éditions spéciales comme *Mi Lucha*, ou *Ercilla*, qui distribuaient en masse des dépêches sur les horreurs commises par les nazis, sur les jeunesses hitlériennes. L'Instituto Chileno Norteamericano projeta également des documentaires gratuits sur les places principales pour que tout le monde puisse voir en images ce qui se déroulait de l'autre côté de l'océan. En novembre, un communiqué du ministère de l'Air annonça que l'aviation française avait perdu, en quinze jours, trois cents appareils. Au même moment, Maryse Bastié déclara dans la presse :

« *Les aviatrices veulent servir.* »

Margot, dans une impulsion confuse, se joignit à ce cri. Elle engagea une procédure d'admission à l'ambassade de France au Chili et envoya une lettre au consulat dans l'intention d'ajouter son nom à la liste des pilotes civils. Bien qu'elle fût majeure, elle souhaita que son père la signât de sa propre main, symboliquement, pour lui donner l'autorisation d'aller se battre en Angleterre. Mais Lazare était si absorbé par l'essor de sa fabrique que, lorsque Margot se présenta dans son bureau, levant distraitement les yeux vers elle, il ne reconnut pas tout de suite sa fille, qu'il crut confondre avec une nonne anglicane qui venait réclamer ses cartons d'hosties. Elle était devenue une vraie femme à la détermination rigide et cette apparition lui donna l'impression qu'elle naissait une deuxième fois.

– Je pars me battre pour la France, dit-elle.

Il se revit vingt-cinq ans auparavant, nu au milieu de son salon, levant le poing dans une odeur d'écorces de citron, prononçant les mêmes paroles, et ces mots firent surgir en lui l'image d'un jeune homme égaré. À quarante-six ans, il avait aujourd'hui le même amour pour la France qu'au temps de sa jeunesse, mais aussi la même peur de la guerre. Il la pria de rester.

– Si je n'y vais pas, répondit Margot, nous rece-
vrons la lettre des lâches, celle avec une plume
blanche, que la France envoie aux déserteurs.

– Je préfère vivre avec une plume blanche et
une fille, plutôt qu'avec aucune des deux.

Mais les craintes de Lazare ne suffirent pas à
retenir Margot. Elle reçut son admission de l'ambassade et fit savoir à Ilario Danovsky, qui était
resté à l'école de pilotage, son départ au front.
Alors qu'elle n'avait jamais été en Angleterre, elle
s'était si bien renseignée qu'elle joignit à sa lettre
des cartes avec la position des pistes, le nombre et
le type d'appareils qu'elle aspirait à piloter.

Le 10 juillet, à 7 heures, à l'aérodrome Los
Cerrillos, Ilario l'attendait sur le terrain. Ils s'éle-
vèrent dans le ciel, firent le tour de la base en
guise de salut et mirent le cap sur Buenos Aires,
où ils devaient prendre le cargo *R.M.S. Orbita*
pour Londres.

Ce fut la deuxième guerre d'un Lonsonier. Ils
arrivèrent à Londres alors que la Luftwaffe bombardait depuis un an les ports anglais. Des avions
attaquaient les convois maritimes de Weymouth,
la station radar de Ventnor était mise hors service, l'embouchure de la Tamise se gonflait de
carcasses de fuselages comme une volière d'ailes
brisées. Sur les berges, dans les banlieues, parmi
les entrepôts, partout des mess d'aviateurs étaient
dressés où des centaines de membres d'équipage

allaient et venaient. On économisait le carburant, on séchait les pelouses en y mettant le feu, on ne comptait plus les pertes. C'est ainsi que, dès les premières heures, éloignés de leur terre et de leur famille, Margot et Ilario comprirent qu'il leur serait difficile d'être admis dans les Forces aériennes libres. Leur anglais étant approximatif, les équivalences de brevets aériens avec le Chili n'étant pas ratifiées, comme tous les Latino-Américains qui s'engagèrent dans la Seconde Guerre mondiale, ils durent se niveler par le bas.

Margot épuisa les annuaires d'aviation. Au bout de deux semaines, elle fut convoquée pour intégrer les « services généraux » qui n'étaient, en réalité, que des services d'entretien et de nettoyage. L'Amérique latine était tenue à l'écart des honneurs du champ de bataille et Margot passa ses journées à vider les lieux d'aisance, à changer les draps des recrues, à éplucher les carottes, à ôter les yeux des pommes de terre. Elle s'initia au jargon, à l'attitude des bombardiers, aux caprices des colonels. Elle parvint à se faire muter et travailla un temps dans une fabrique de munitions où elle vérifiait les armes des Spitfire, onze heures par jour, sans permission. Puis on la mit au lavage des cylindres, à frotter des pièces avec de la potasse, à un moment de la guerre où les Latino-Américains commencèrent à devenir plus nombreux dans les rangs de la RAF si bien que, leur nombre croissant encore, les autorités décidèrent de créer une South American House.

Dès que son niveau d'anglais fut suffisant pour suivre des cours, Margot se mit en tête de faire les cent quarante heures de vol nécessaires en tant que *drogue operator* pour avoir le droit de piloter. Elle démontra qu'elle savait calculer les positions et les distances, se servir de la navigation à l'estime, évaluer les routes orthodromiques. Bientôt, elle fut nommée au service du Département auxiliaire des transports pour lui éviter, non pas les dangers, mais les gloires d'une lutte qui s'annonçait déjà comme légendaire. On ne lui permit de voler qu'à condition qu'elle se limite à déplacer des avions d'un point à un autre. Ce fut à cette époque que, sur l'épaule de son uniforme, elle se fit coudre, en même temps qu'Ilario, le drapeau chilien.

Elle passa ainsi deux ans à assurer entre différents aéroports le transfert d'appareils qui devaient servir aux pilotes pour les combats. Lorsqu'elle fit son premier trajet dans l'espace aérien britannique, elle songea que le ciel ici était moins pur que celui du Chili, les étoiles moins rieuses, l'horizon moins dégagé, et remarqua que des nuages noirs s'amassaient toujours sur les villes comme des brebis autour d'un berger. Elle qui n'était montée jusque-là que dans des avions d'école, des engins inoffensifs et grelottants, se trouvait désormais à bord de machines de guerre, fermes et puissantes, conçues pour détruire, dont le fuselage était souvent marqué d'impacts. Tout était pratique et léger, hormis la crosse de mitrailleuse, énorme et lisse, comme un mât solide, effrayante au centre de la carlingue.

Dès 6 heures, Margot se dirigeait vers les zones de stationnement et faisait démarrer les moteurs refroidis par la nuit avec un grondement éraillé. Elle découvrit le chewing-gum qui débouchait ses oreilles, apprit le langage des messages météo, comprit qu'il lui fallait monter à quatre mille pieds pour éviter le constant brouillard anglais. Elle emportait seulement avec elle un canot de sauvetage, de la nourriture pour trois jours et un Thermos de café. Son drapeau chilien cousu sur l'épaule, elle prévenait tout surpoids, malgré ses fourrures et ses lainages, au point de raboter ses semelles et de couper les marges de ses cartes.

Ainsi, peut-être parce qu'elle était une des seules femmes dans un métier d'hommes, elle devint plus désobéissante encore à cet étrange sentiment de peur, étreignant cette existence soumise au hasard, dépassant les autres aviateurs en cran. Parfois, au milieu du ciel, sans être autorisée à tirer, elle se permettait de caresser la crosse de la mitrailleuse comme un objet interdit et ses muscles se tendaient. À la voir, la figure et les épaules inflexibles dans sa cabine, le corps raidi, les mains serrant les commandes, on devinait dans cette femme une puissance ramassée. Toujours assise, la fatigue ne l'atteignait pas. Elle volait sept jours par semaine, neuf à dix heures par jour, ne dormant que quelques minutes entre deux déplacements.

Loin de tout héroïsme, elle triomphait par son engagement minuscule. Au-dessus des nuages, elle avait la patience des condors qui, tête baissée, attendent que la pluie s'arrête.

À cette époque, Ilario Danovsky apprit à piloter les avions les plus capricieux. Peu à peu, il comprit que sa réussite militaire dépendait de sa détermination, de sa vaillance. Il n'avait pas le même goût ardent pour l'aventure et le danger que Margot, mais cette différence ne fit qu'enrichir son enseignement. Cette équipe à deux, cette complicité chilienne, se para du prestige de la camaraderie qui est à la fois liberté et cloître. Ils prirent le même visage, le même sang, la même colère. Sans jamais participer aux combats, tandis que d'autres attaquaient des barrages et bombardaient des centres de recherche, eux chargeaient les avions avec du matériel et rapatriaient des cadavres dans des housses en nylon. Sans jamais avoir tiré une seule balle, ils distribuaient des pièces d'artillerie à chaque escouade. Ils avaient créé une sorte de pantomime à deux. À la fatigue de l'un répondait la résistance de l'autre, et leurs gestes étaient si bien combinés qu'on les soupçonnait d'avoir répété avant de voler.

Un jour, près des falaises françaises, ils survolèrent une petite école de pilotage qu'ils approchèrent à basse altitude. L'espace d'un instant, Margot se revit au Chili dans son club d'aviation. Elle retrouva les entrepôts, les baraques de tôle ondulée, les pistes pelées. Mais il lui fallut près de trente secondes pour s'extraire de cet état de grâce et se rendre compte que cette base avait été prise par les Allemands.

Le spectacle qu'elle perçut lui glaça le sang. Sur le terrain central, elle distingua une longue file de Messerschmitt qui occupaient l'esplanade en rangs serrés, barrant le passage vers l'arrière-pays. Comme le monoplan d'Ilario n'était pas loin, elle lui fit signe de s'éloigner. Ilario leva la tête et tressaillit. Il venait de voir surgir des nuages, comme des étincelles noires, trois chasseurs allemands qui fondaient sur eux.

Ilario prit la direction de l'Angleterre et fonça vers la mer. Il fut rapidement hors de danger. Par réflexe, Margot tenta de faire demi-tour pour s'échapper, mais découvrit derrière elle un Fokker qui tournait ses mitraillettes et commençait à tirer. Pendant une seconde, elle ne trouva aucune issue, mais une force s'empara d'elle et, déviant le nez de l'avion vers le haut pour gagner de l'altitude, Margot poussa les gaz à fond. Deux Messerschmitt la suivirent en rugissant. Ils rompaient les masses grises et lui collaient l'arrière en canardant à l'aveugle. Ils étaient cinq, ou peut-être six, tirant à rafales sèches, s'accordant pour lui couper la route, la traquant comme une bête. Margot mit à plat ses deux pieds sur le palonnier, tint ferme son manche, évitant par d'ultimes virtuosités les claquements des balles. Elle monta plus haut, pensant les semer, plus haut encore comme un aigle ardent, mais les chasseurs la suivaient de si près qu'elle sentait le souffle de leur hélice.

Dans une dernière tentative, elle fit un looping comme lors de ses années d'acrobaties à l'école et redescendit vers la mer. L'avion, bousculé, remuait de toutes parts, dansant comme une feuille sèche, tournant sur lui-même, précédé par des masses enflammées qui se détachaient des voilures. Les nuages se dissipèrent. Elle se retrouva de nouveau près des côtes où elle reconnut l'école d'aviation au loin et les Messerschmitt en file.

Les chasseurs étaient si proches qu'elle sut que le combat était perdu. Assaillie, voyant le sol se rapprocher, il était désormais impossible de se dégager. Mais tout à coup, elle aperçut l'avion d'Ilario qui était revenu. Il avait fait demi-tour, alors qu'il était hors de danger, brusquement saisi par un geste de bravoure. Margot le regarda foncer droit vers la piste de l'école. En plein vol, Ilario ouvrit la carlingue, actionna son siège éjectable et jeta son avion comme une bombe au milieu des avions allemands. L'explosion fut si impressionnante que les chasseurs qui poursuivaient Margot se détournèrent d'elle et firent volte-face pour porter secours aux leurs.

Des colonnes de feu montèrent à mille pieds. Au milieu des fumées, Margot put voir au bout d'un parachute Ilario qui tombait lentement vers un groupe de soldats allemands, sauvés des flammes, qui l'attendaient au sol. Elle dut assister, impuissante, à sa chute. Ilario essaya de sortir son pistolet pour ne pas donner son corps vivant à l'ennemi. Il était désarmé. Il tenta d'orienter son parachute vers une falaise de craie et ses belvédères cailouteux, mais les courroies se mêlaient et il ne put changer de trajectoire. Les Allemands patientaient, le visage vers le ciel. Ilario, dans sa combinaison, poussa un hurlement qui déchira l'air et parvint jusqu'à Margot. Elle l'imagina désespéré. Elle se trouva à cet instant devant le dilemme qu'avait vécu son père, Lazare Lonsonier, lors de sa rencontre avec Helmut Drichmann : fallait-il commettre un crime ou une lâcheté ?

Obligée de prendre une décision, seule dans son cockpit, elle eut des sanglots âpres qui l'étranglèrent. À contrecœur, Margot tourna ses canons vers Ilario, la main tremblante, referma la paume sur le manche qui se contracta comme une gangue et mit le doigt sur la gâchette, prête à abattre le seul homme qu'elle aimait comme un frère. Elle allait tirer quand, au bout de son parachute, Ilario tourna vers elle son profil joufflu, avec ses petits yeux de cosaque, et lui sourit. Tout parut se résoudre en une fraction de seconde. Dans un ultime geste, il lui fit un signe de partir, de se sauver, de ne pas porter en elle ce crime. La guerre ne devait pas gagner sur les hommes. Il leva le poing, haut dans le ciel, et, tandis qu'il tombait vers la mort, toucha le drapeau chilien qu'ils s'étaient cousu ensemble sur l'épaule.

Helmut Drichmann

Le jour où Lazare Lonsonier le rencontra pour la troisième fois, Helmut Drichmann était mort trente ans auparavant. Ceux qui vécurent cet instant se souviennent qu'il était 14 heures lorsque le soldat allemand fit dans la maison une apparition que nul ne put expliquer, car la porte était restée fermée et les fenêtres étaient verrouillées. Il traversa l'entrée avec la plus grande aisance et s'installa devant Lazare qui, assis en train de lire, le reconnut aussitôt. Lazare avait gardé l'image d'un jeune taureau blond, le visage couvert de boue de camouflage, et il ne fut pas surpris de le voir exactement comme il l'avait laissé sur le champ de bataille, au milieu de la Première Guerre mondiale, avec ses dix-huit ans, son port olympien, sa tête carrée et ses cheveux en épis blancs, fidèle au portrait qu'il s'était fait de lui. Il comprit brusquement que l'heure était venue d'affronter ce fantôme qui habitait ses songes depuis le retour du front, ce soldat à la fois frère et ennemi, le seul homme sur terre à connaître son secret.

– C'est le poumon, n'est-ce pas ? demanda Lazare avec une voix étranglée.

Le soldat tourna sur lui un sourire serein :

– C'est le poumon. Il te reste un mois.

Helmut Drichmann avait débarqué de l'au-delà en uniforme de l'armée, un pantalon de toile avec un pli vertical marqué au fer, et un vieil insigne Totenkopf, une tête de mort en métal épinglée par les hussards allemands à la boutonnière. Il avait pour seul bagage un seau vide en fer-blanc, qu'il balançait au creux de son coude avec tristesse. Il était sans doute un des hommes les plus beaux qu'on eût jamais croisé dans la rue Santo Domingo. La finesse de son corps d'adolescent contrastait avec la silhouette de Lazare, grossie et tassée, que trente ans de nuits agitées, d'illusions flétries et de désirs hantés, avaient vieillie. Ses traits symétriques, ses yeux ardents et profonds, son nez aquilin lui donnaient l'allure non pas d'un spectre nébuleux et bleuâtre qui conjure la paix des vivants, mais d'un jeune homme établi, calme et résolu.

Quand Thérèse parut dans le salon, les bras chargés de graines de sésame et de pépites de maïs, elle fut si surprise de trouver chez elle un inconnu que les sacs lui tombèrent des mains, déversant tout leur contenu sur le tapis. Helmut Drichmann se mit à genoux et, avec une patience délicate que Thérèse n'avait pas vue depuis le dressage des rapaces de Río Clarillo, ramassa les graines en les déposant soigneusement dans son seau. Sous le regard étonné de Lazare, il se leva et sortit dans le jardin en direction de la volière. Par la fenêtre, ils le virent passer son bras entre les losanges de la grille pour nourrir les diamants mandarins qui, bien qu'ils n'aient pas l'habitude des visiteurs, descendirent lui manger directement dans la main.

– Qui est ce garçon ? demanda Thérèse, interloquée.

Lazare s'empressa de mentir :

– C'est le fils d'un ami du Sud.

– Et pourquoi est-il vêtu en soldat allemand ?

– Je crois qu'il n'a pas toute sa tête, répondit-il.

Pendant trente jours, à toutes les personnes qui passèrent par la maison de Santo Domingo, on raconta que ce jeune garçon était l'aîné d'un énigmatique ami que Lazare avait connu autrefois, dans les domaines del Cajón del Maipo, pendant son voyage avec les indigènes qui vendaient des bijoux en argent. Personne ne posa davantage de questions et, au bout d'une semaine, on s'habitua à la présence apaisante de ce jeune intrus, qu'on disait sans doute traumatisé par une ancienne guerre et qui, sans déranger personne, avec un étonnement ingénu, observait le monde comme s'il s'était réveillé après un long sommeil.

C'est ainsi qu'un mort en vint à faire partie de la famille Lonsonier et qu'il devait y laisser, un mois plus tard, une marque grandiose et terrible. Son arrivée, en mai, fut une respiration et détendit les tensions que l'absence de Margot avait créées.

Il apparaissait tous les matins, avec une assiduité militaire, on ne savait d'où, ne faisait nul bruit en entrant dans les pièces, mangeait à peine, et fixait la volière avec une naïve curiosité. Ce n'était pas un fantôme qui déambule, se cache dans les bouquets de camélias, se faufile comme un gnome fugitif et sournois sous des draps, mais un être séduisant et pacifique, demandant la permission avant de se retirer. Son uniforme, bien qu'il fût vieux, n'avait pas l'odeur déplaisante des vieilleries. Quand on lui posait la question, il n'avait pas de passé, aucune aspiration future, et souvent ses réponses n'étaient que des sourires candides, avec un léger haussement d'épaules, comme si la mort lui avait interdit de parler des affaires de la vie. Parfois, à travers la porte restée ouverte de la cuisine, les servantes le guettaient en rougissant, fascinées par la beauté sereine de ce prince, calme et vigoureux, dont la noble figure habillait les pièces d'une élégance germanique.

Lazare l'apprécia aussitôt. Il avait toujours su que la mort viendrait s'annoncer à lui par l'intermédiaire de ce jeune soldat. Sa présence l'avait accompagné pendant si longtemps, et d'une façon si ponctuelle, qu'il avait instauré entre eux comme un lien de courtoisie. Mais depuis qu'il le voyait, une force invisible et souterraine s'était éveillée. Ainsi, à quelques semaines de sa fin, jamais il ne s'était senti plus juvénile. La certitude que son heure était venue lui donna une étrange vitalité qui le rendit imperméable au chagrin. Dès lors, il s'absorba avec une complète dévotion dans ses affaires inachevées, heureux de savoir qu'il mourrait avec plusieurs années d'avance.

– Quel soulagement, pensa-t-il. Tout le monde devrait connaître la date de sa mort.

À cinquante et un ans, il développa une robustesse enviable et une élégance proverbiale, ne portait plus que des mocassins en box, une veste en tweed à carreaux, un parfum à la mode anglaise et des huiles à barbe, afin de rattraper une jeunesse qui lui échappait. Une légère arthrose l'obligeait à se déplacer avec une canne à bec-de-corbin et à conserver toujours du collyre dans la poche, mais l'ardeur disciplinée qu'il mettait au travail lui faisait garder cette attitude d'imperceptible rébellion que l'on constate chez les personnes qui ne veulent pas vieillir. Il écrivit son testament en français, dans une langue soutenue qu'on n'utilisait plus, et laissa la conduite de la fabrique à Hector Bracamonte qui, se rappelant comment il y était entré, eut l'impression de le voler pour la deuxième fois.

Thérèse était alors au sommet de sa grâce. Elle avait quarante-quatre ans et son air d'Occitane, énamourée et avenante, éveillait chez les autres une confiante chaleur. Bien qu'elle eût une tendre expression de fleur fanée, elle appartenait à cette catégorie de femmes qui, par l'architecture de leurs traits, par la justesse de leurs formes, demeurent, par-delà les années, loyales à leur jeunesse.

Cependant, une angoisse constante l'habitait. Elle n'avait plus de nouvelles de Margot depuis quelques mois et attendait l'armistice avec une impatience sourde. Après une vie de clartés et de ténèbres, elle s'était résignée à ce que son siècle soit belliqueux, mais elle ne pouvait se résoudre à l'idée qu'elle ne reverrait plus son unique enfant. En attendant, elle avait parfumé de magnolias la chambre de Margot, changé les draps du lit, dépoussiéré les livres sur l'aviation qui reposaient encore sur les étagères et fait brûler des cierges bleus pour hâter son retour. Elle ne connut pas un seul instant de paix et dut accepter que seule la présence spectrale de Helmut Drichmann la tirât de ses tourments. La profonde solitude avec laquelle il faisait des allées et venues depuis son salon jusqu'à la volière, l'étrange façon qu'il avait de regarder l'eau qui coulait de la petite fontaine, sa recherche muette de petites graines de maïs dans les nichoirs, lui firent penser qu'il était un jeune ornithologue qui avait les mêmes passions qu'elle.

– Lui aussi, il a une âme d'oiseau, dit-elle un jour à Lazare.

Thérèse fut si touchée par ce garçon venu du ciel, qu'elle parsema le jardin de récipients remplis d'un mélange de pignons pour colombe, de céréales et de pâtée aux œufs, afin qu'il pût lui-même les offrir dans sa paume ouverte entre les entrelacs de la grille. Le jour où elle le vit en train de se tordre le bras pour nourrir les moineaux, elle lui ouvrit la porte de la volière.

– Tu peux rester dedans, si tu veux.

Helmut Drichmann se mit aux pieds de la petite fontaine et, inclinant son seau en fer-blanc, le remplit d'eau. C'est ainsi qu'il s'installa dans la volière, ravitaillant d'eau la tranchée de son souvenir, jusqu'à cette matinée où l'on déclara la paix en Europe et où Margot Lonsonier put rentrer chez elle.

En juin, Margot fit irruption dans le jardin. Elle arriva vieillie comme une pierre, grise et rugueuse, creuse et tapissée d'étoiles mortes, avec une longue courbature à son cou qui durait depuis quatre ans. Ce fut une ruine de femme que Thérèse trouva à la porte de la maison de Santo Domingo. Alors qu'elle bêchait dans la cour, elle fut horrifiée à la vue de cette fille aux cernes bleus, à la bouche cadavérique, et au visage pâle et nerveux, dont elle avait imaginé cent fois le crash quelque part dans la Manche et dont elle devinait à présent, dans les traits épuisés et les auréoles sombres, les années de dortoirs étroits et d'humiliations vaincues.

– *Cristo santo*, s'exclama-t-elle. Qu'est-ce que le monde a fait de toi ?

Jusqu'à sa mort, Margot garda un souvenir vague de ce retour, mais elle devait se rappeler parfaitement la première fois où Helmut Drichmann, assis au milieu de la volière, débarqua dans sa vie. Elle traversait le jardin, lorsqu'elle le distingua entre les barreaux. Elle ne remarqua ni sa tristesse, ni son désarroi, ni sa solitude, mais seulement la Totenkopf qui la replongea dans les affres de la guerre.

– *Pucha*, cria-t-elle. On accueille un Allemand ?

Helmut Drichmann se leva avec courtoisie et elle constata qu'il faisait une tête de plus qu'elle. L'espace d'un instant, une colère monta en elle et Margot voulut lui jeter son poing à la figure, le traiter de nazi, mais elle se ressaisit. Elle demeura muette et ce mutisme l'accompagna pendant les neuf mois qui suivirent, jusqu'au jour où elle reparla pour dire le prénom qu'elle avait choisi pour son fils.

Bien qu'elle tentât de retrouver une existence normale, jamais Margot ne put penser à l'Angleterre sans être assaillie par le souvenir d'Ilario. Des scènes confuses, où se mélangeaient des années de combats et de joies communes, s'entrechoquaient dans sa tête, et elle caressait l'espoir chimérique qu'un messager inconnu vienne lui donner la prodigieuse nouvelle qu'il était en vie. À Santiago, elle travailla un temps avec des pilotes. Désormais, le talent qu'elle avait démontré auparavant se réduisait à des exhibitions, des propagandes, des banderoles attachées à l'arrière des avions ou des jets de prospectus qui obstruaient les rues d'un océan de tracts. Ce retour aux choses ordinaires, au calme, aux distractions d'une ville comme Santiago, était d'une nature si plate qu'elle en éprouva un vertige confus, contre lequel les attentions familiales les plus généreuses vinrent, par la suite, se briser.

Seul Lazare comprenait ce qu'elle vivait, pour l'avoir subi trente ans auparavant, et ce fut lui qui lui suggéra timidement :

– Ce n'est pas un avion qu'il te faut, c'est un homme.

Or trop peu de jours s'étaient écoulés depuis son retour au Chili pour qu'un autre homme pût prendre la place qu'Ilario Danovsky avait si longtemps occupée. Si elle fermait les yeux, elle pouvait encore le revoir tomber entre les griffes des Allemands, dans l'écho bourdonnant des avions de chasse, coiffé de son parachute comme un roi, touchant de sa main le drapeau qu'ils s'étaient cousu à l'épaule. Ce souvenir, ruminé longtemps, l'amena à concevoir le projet de réparer leur ancien avion dont la carcasse, pourrie et abandonnée, avait l'air d'un bateau naufragé. Avec patience et discipline, elle s'enferma dans un quotidien d'ouvrière où elle put mettre à profit les enseignements de la guerre. Elle travaillait lentement, ce qui faisait croire qu'elle défaisait la nuit le labeur de la journée, non pour effacer la mémoire d'Ilario Danovsky, mais pour la faire renaître. Parfois, lorsque Thérèse la regardait depuis le balcon, elle soupirait avec un désarroi profond.

– On dirait que son plus grand accident est de ne pas en avoir eu.

Margot ne sut jamais exactement jusqu'où elle voulait pousser la réparation de son avion, mais tout ce vacarme d'outillages finit par attirer l'attention de Helmut Drichmann. Elle se rendit compte qu'il l'observait comme une bête effarouchée, avec une discrète sollicitude, depuis la volière de l'autre côté du jardin, fasciné par elle autant que par ce nouvel oiseau de métal. Elle était déconcentrée dans son travail quand l'espace s'emplissait de l'odeur reconnaissable de la boue, des vieilles bottines et de pluie, et elle savait alors que Helmut Drichmann passait près d'elle, sans un bruit, inexpressif, comme une ombre fugitive, son seau à la main.

Un mois s'écoula. Le soir de la mort de Lazare, on dîna d'un coq au vin que Thérèse avait préparé. À la fin du repas, Margot se retira subtilement dans sa chambre, sans hâte, et s'étendit sous la couette. Elle s'endormit rapidement, mais au bout de quelques minutes, un bruit de cliquetis la réveilla. Elle ne comprit pas tout de suite qu'il venait du jardin et, quand elle se pencha à la fenêtre, elle distingua, entre les feuilles des arbres et la pénombre du soir, une timide lueur au fond. Bien plus tard, lorsqu'elle repenserait à cette nuit, elle ne parviendrait pas à comprendre ce qui l'avait poussée à ouvrir les volets, comme elle le faisait depuis l'enfance pour aller rêver sur le toit, et à sortir dans le jardin endormi, sans chaussures, sur la pointe des pieds, vêtue d'un chemisier en percale.

La maison était silencieuse. Les lampes étaient éteintes. La brise berçait les mobiles des barreaux et les fruits du potager. La volière était calme, traversée de cordes colorées où les oiseaux dormaient. Les rossignols avaient fait leurs nids dans des niches et les paddas, parés comme des princes, s'affûtaient le bec contre le grillage. Tout était baigné d'une lumière bleue et Margot eut l'impression de vivre un instant unique, si bien qu'elle s'arrêta dans sa course pour contempler toute la beauté de ce tableau dont les éléments réunis avaient atteint, dans cette minute suspendue, une étrange perfection.

Dans son avion, elle distingua une silhouette encadrée derrière la vitre de la carlingue, puis la tête de Helmut Drichmann, encastrée dans les manettes, en train de réparer le tableau de bord. Il lui sembla plus pâle, plus diaphane, plus transparent qu'à l'ordinaire, comme s'il disparaissait, avec ses yeux brillants, ses fins sourcils blancs et son front d'ivoire. Alors, elle entendit sa voix, fluette et mélancolique, comme venue d'un autre temps :

– Je sais pourquoi cet avion n'a jamais décollé.

Helmut Drichmann lui parut d'abord incohérent, ce n'était qu'un fantôme qui venait errer dans ce coin perdu de la terre, mais après l'avoir mieux scruté, il lui sembla qu'un changement délicat s'était opéré dans son profil. Il ôta sa veste en drap et retroussa les manches de sa chemise en laine. Elle voulut reculer, mais il se pencha vers elle et l'embrassa.

Margot eut l'impression qu'elle posait ses lèvres sur la peau d'un énorme serpent. Elle sentit quelque chose de froid, ses veines gelées et, quand il la serra contre son torse, elle crut entrer dans un morceau de glace. Cependant, elle détendit son corps, laissa tomber sa tête en arrière, écarta ses cuisses et s'agrippa aux ailes de son avion. Elle dut se cramponner plus fort et mettre une main sur sa bouche pour ne pas réveiller tout le voisinage quand une vigueur épaisse la traversa comme une lance, la replia sur elle-même et faillit la casser en deux. Elle renonça à combattre ce plaisir féroce, dans la fureur métallique de l'instant, en regardant Helmut Drichmann avec une expression à la fois de défi et d'obéissance.

Ils firent l'amour une seule fois, mais Margot eut l'étrange sensation que, bien qu'il fût adroit, c'était sa première. Elle lui rendait dans la mort ce que ce soldat, décédé trop jeune, n'avait pas connu de son vivant. Ce fut un plaisir nébuleux dont la parfaite plénitude fut rythmée par le vol incessant des oiseaux dans la volière et l'odeur sèche de cambouis. La passion honteuse que ressentit Margot pour Helmut Drichmann fut probablement l'émotion la plus onirique de toute sa vie, plus intense même que son vol au-dessus de l'école d'aviation, et un demi-siècle plus tard, elle continuerait de l'invoquer dans ses nuits solitaires.

Tandis que Margot vivait cette première nuit d'amour, Lazare savoura sa dernière. Pendant toute cette journée, il avait feint le naturel, travaillant avec son habituelle discipline, et personne ne remarqua dans son attitude le présage d'une mort annoncée. Il l'endura avec une sérénité déconcertante, comme s'il se préparait à recevoir une distinction. Ce soir-là, il rangea ses affaires dans sa chapelle, classa ses factures et, avant de sortir, éteignit les lumières de son atelier d'un geste lent et nostalgique, en inspirant pour la dernière fois l'odeur de farine. Il ressentit une secousse légère, mais presque aussitôt une sensation de soulagement immense, de délivrance, comme s'il avait attendu cet instant depuis sa naissance.

Dans sa chambre, il trouva Thérèse nue, couchée dans la baignoire, flottant dans l'eau comme une ondine. À ses yeux, elle était aussi resplendissante qu'au premier soir, quand ils s'étaient aimés lors de cette nuit de noces aux odeurs de fleurs de bleuet et de coriandre. Plus de robe de mariée, plus d'ambre de mélasse, plus d'artifices, ils étaient arrivés à un âge où l'on a besoin d'une simplicité automnale pour faire l'amour. Là, il y avait une femme au corps fragile comme une patte d'oiseau, qui avait perdu la fermeté de ses hanches, la rondeur de ses fesses, et qui le fixait avec une douloureuse confiance. Une nouvelle nudité se dessinait. Il la rejoignit dans l'eau tiède, jusqu'à ce que tous les souvenirs fissent surface, et l'embrassa avec légèreté, pour ne pas bousculer le fragile équilibre qu'elle avait installé. Se sachant déjà mort, sans même se préoccuper de l'avertir des tristesses à venir, Lazare eut la sensation inavouable de n'avoir compris sa femme que bien trop tard. Ce fut serré contre elle, sans drame, tous deux enlacés dans la baignoire, qu'il lui murmura une dernière phrase qu'elle ne comprit jamais.

— J'ai tué Helmut Drichmann.

Le lendemain, quand Thérèse se réveilla, Lazare ne respirait plus. Elle était restée un instant dans ses bras froids, face à son visage immobile, et dans ses yeux vides elle avait perçu une lueur figée, tournée vers un puits étrange qui lui fit peur.

À 15 heures, on parfuma son corps de myrrhe. Thérèse, avec des gestes doux et lents, pleins d'une tendresse déchirée, lui passa son costume rayé, dont il aimait orner la boutonnière d'une valériane cueillie le jour même, et lui appliqua une huile odorante sur la barbe avec plus de délicatesse qu'il n'en mettait lui-même. Elle fut surprise de le trouver si maigre, si rabougri, comme si la mort avait emporté avec elle une part de lui-même. Hier soir encore, dans la baignoire, elle avait serré dans ses bras un homme vigoureux, puissant, mais elle découvrait à présent une pierre sèche et creusée, un dos aux os saillants, une poitrine aux cicatrices mauves et laides. Le corps de Lazare, après cinquante et un ans d'ambitions et de révoltes, de vie commune et de stériles douleurs, portait l'empreinte d'un long combat où il s'était investi à plein poumon. Elle lui ajouta un peu de gomina dans les cheveux, qu'elle brossa en arrière, découvrant son front veiné, légèrement verdi. Elle redressa les six coussins brodés qui tenaient sa nuque et lui déposa un dernier baiser à demi fané par les retards de l'amour. À le voir ainsi, élégant comme pour un mariage, le parfum de myrrhe montant en bouffées, les bras croisés sur son ventre, il lui parut plus beau que l'homme qu'elle avait connu.

– Même la mort te va bien, murmura-t-elle.

On veilla le corps dans leur chambre qu'on avait transformée en une sorte de niche gothique, avec de légers rideaux de gaze aux couleurs sombres et des draperies d'étamine, et où des bougies avaient été disposées sur la table de chevet comme un autel de cire. Le lendemain, sous une pluie fine, le cortège traversa à pas silencieux la rue Santo Domingo, avec sa double rangée de peupliers et de lampadaires, où Margot avait tenté de faire voler son avion et où quelques passants désormais, la reconnaissant en sortant de leurs porches, ôtaient leurs chapeaux en signe de respect. Elle resta silencieuse pendant toute la cérémonie, les yeux rougis et la figure blême. Elle ne put croire qu'en l'espace d'un mois elle avait vu disparaître les deux hommes les plus importants de sa vie et avait donné sa vertu à un troisième. Elle décida de dissimuler l'affaire de Helmut Drichmann, comme son père avait tu pendant trente ans la scène du puits d'eau. Mais son silence désormais la renvoyait à sa solitude et elle ne parvint pas à dormir sereinement les deux premières semaines, se réveillant sans cesse avec le cœur soulevé par une forte odeur de vigne.

Elle eut du retard dans son cycle. Lorsqu'elle comprit qu'elle était enceinte, Margot pensa aussitôt à Helmut Drichmann avec une amère tendresse et se mit à compter les jours sur ses doigts. Orpheline et mère d'un même coup, elle fut partagée d'émotions contraires. Ce soldat allemand avait tué son père, en lui laissant un enfant. Ce paradoxe l'effraya.

143

Comme on ne lui connaissait aucun homme, lorsque son ventre fut visible, la rumeur courut qu'elle avait été fécondée par la guerre. Et, au bout du deuxième mois, Margot adopta un pacifisme radical qui lui fit fuir les banquets d'aviateurs et les dîners d'anciens combattants. Son penchant originel pour le silence et l'isolement s'accentua. Elle en vint à penser que son existence n'était pas vouée au ciel, à la lutte aérienne ou au secours aéropostal. Elle ne mit plus jamais les pieds sur un terrain d'aviation, ne supporta plus l'odeur de l'huile de ricin, évita le bruit des hélices, interdit qu'on utilisât en sa présence les mots *atterrissage* ou *carlingue*, et c'est presque avec un bonheur dissimulé, une joie honteuse, qu'elle perdit pour de bon sa vocation de pilote.

Bientôt, elle reporta l'absence de Lazare et d'Ilario Danovsky sur le profil travailleur d'Hector Bracamonte. Il était resté en charge de la fabrique et désormais, à trente ans, conservait son air de paysan laborieux, de forgeron taiseux, avec sa peau bronzée, dont l'expérience et la confiance en lui-même avaient affermi les loyautés. Il voulut se laisser pousser la moustache, suivant ainsi la mythologie patronale qu'avait instaurée Lazare mais, n'ayant pas assez de poils, il dut se résoudre à une fine ombre sale. Cependant, il tenta de répondre à la carence de moustache par une raideur dans la voix, et un sens de l'autorité qui le rendait plus mature, plus réfléchi. Il était sévère au-dehors, économe de ses mots, mais exerçait sa nouvelle activité comme un missionnaire, dévoué et prévenant. En l'observant, à la tête d'une entreprise florissante, tenant son rôle avec rectitude et équité, rares étaient ceux qui pressentirent qu'on le verrait un jour à terre, plié en deux sous des coups de pied, traîné comme un chien, offrant sa vie pour un autre.

Son engagement donna l'exemple. Il ne laissa pas l'entreprise s'affaiblir. Il poussa ses anciens collègues à produire davantage, devinant les ruses de la paresse, et son regard expérimenté, voyant tous les défauts, surprenant le moindre désœuvrement, n'admettait pas qu'on puisse relâcher la discipline. Il entretenait avec les ouvriers un lien à la fois amical et strict. Il souhaitait révéler à ces hommes, dont il connaissait les faiblesses et les grandeurs, ce qu'eux-mêmes ne soupçonnaient pas de leurs capacités. Mais il remarqua assez vite un changement d'attitude à son égard. Dès l'âge de dix-huit ans, lorsqu'il était arrivé dans cette fabrique, il avait vécu parmi ces hommes rudes et entêtés, pour qui se dresser contre l'autorité était un code familial. Après la mort de Lazare, ils réclamèrent une amélioration de leurs conditions de travail, de l'hygiène des toilettes, de l'état des gouttières, et un allongement de la pause du déjeuner. Désormais, à leurs yeux, Hector n'était plus le simple pion d'une longue chaîne, mais le maître sévère, intransigeant, qu'ils redoutaient. Ce brusque couronnement inspirait la méfiance. Il lutta contre ce changement d'atmosphère avec une énergie farouche, mais il devint rapidement évident que ce combat contre la rumeur était perdu d'avance.

Il fut question de voter une grève. Les moteurs des pétrins furent arrêtés, les rouleaux à pompe se refroidirent et les commandes de trente camions de sacs de farine ne furent pas livrées. La fabrique à hosties plongea dans un silence de cathédrale. Une autre masse se levait. Des ouvriers plus jeunes, récemment engagés, vêtus de chemises rouges et de casquettes à l'étoile, exigèrent des réformes et suspendirent toute activité en signe de mécontentement. Ils brandirent des crécelles et des klaxons de poche, des vieilles casseroles et des cloches à vache, et même un tambourin qui avait été fabriqué à la hâte avec une boîte à fromage et deux cordons noués. Le bruit de la grève provoqua un vacarme tel qu'il obligea Margot à sortir de sa chambre. Quand elle arriva dans le hall de l'usine, elle vit que les machines étaient mises à l'arrêt. Les hommes avaient les bras croisés et les plus révoltés, le visage rouge de colère, menaçaient Hector Bracamonte de lever des barricades en sacs de terre, de condamner les portes et les fenêtres, et de transformer cette usine en un fort médiéval.

Enceinte de huit mois et trois semaines, Margot assista à ce débat houleux, sans vraiment participer aux pourparlers. Les sifflets et les tambours étouffaient les paroles. Tous les ouvriers levaient les bras, tonnaient contre Hector et, tout à coup, au milieu de ce vagissement, elle entendit un mugissement caverneux, profond, venu des boyaux de la Terre.

Elle crut d'abord qu'il s'agissait d'un cri qui traversait la fabrique, mais elle comprit bientôt qu'il venait de son propre ventre et que l'enfant, réveillé par les clameurs, bousculant les parois où il se heurtait, annonçait sa venue au monde.

L'énergie de la pièce passa en une minute d'une grève ouvrière à une bousculade de sages-femmes. Tous les travailleurs s'agitèrent pour trouver une voiture en urgence, on fit place pour laisser passer Thérèse que l'appel de l'enfant avait alarmée depuis le salon, et on demanda à l'un des hommes, un géant de la côte, de porter Margot dans ses bras, car les eaux jaunâtres commençaient déjà à couler entre ses jambes et à mouiller le sol. Plus tard, Margot se souviendrait être arrivée en catastrophe à l'hôpital, poussant des hurlements, la robe déjà déboutonnée, couverte de plaques rouges sur la poitrine, tapant les murs comme une désespérée, le ventre déformé de bosses et de failles. Malgré son esprit aventureux, au moment de se coucher sur le lit de l'hôpital, elle était pliée en deux. Les sages-femmes accouraient à la hâte, installant des bassines et des linges. Quand Margot commença à pousser, ses yeux se remplirent de larmes et on entendit depuis le couloir les os de son bassin se déboîter en bruyants craquements comme si on déracinait un chêne. L'enfant déchira ses entrailles, donna des coups de pied, impatient de vivre, et s'agita si fort pour sortir que Margot crut qu'elle accouchait d'un bœuf.

L'enfant naquit par le siège, les fesses d'abord, les jambes le long du torse, les pieds collés aux oreilles. On posa le nouveau-né sur la poitrine de la mère. Margot, nue, couverte de sueur, haletante et épuisée, serra entre ses seins cette créature mauve, baignée de sang, les cheveux collés au crâne, dont les petits poings agrippaient le vide comme s'il voulait l'étrangler. Bien que l'enfant fût rabougri, menu, pareil à un horrible moignon de chair, il avait déjà les yeux ouverts et étudiait les choses avec une curiosité inquiétante qui rappela à Margot son étrange paternité. On examina l'enfant et on lui trouva une tache au niveau du genou droit, typique des êtres insoumis.

– Cet enfant ne s'agenouillera devant personne, dit-elle.

Le bébé fut inscrit au registre civil chilien, mais aussi au consulat en tant que Français à l'étranger, ce qui devait, vingt-sept ans plus tard, lui sauver la vie. Elle renonça à lui donner le nom de son père, certaine que son origine allemande lui porterait préjudice. Elle pensa à un prénom français, davantage à la mode, mais elle ne souhaita pas reproduire le présage d'une lignée de déracinés. Elle choisit donc le seul prénom qui faisait encore écho dans son cœur, simple et puissant, soudainement révélé à elle comme une évidence, et n'accepta aucune objection de la part de sa famille. Le garçon fut appelé Ilario, et pour le différencier de Danovsky, elle y ajouta une contraction : Ilario Da.

Hector Bracamonte

Le jour de la naissance d'Ilario Da, le vieux Lonsonier fêtait ses quatre-vingt-onze ans. Malgré la sève des années, la solitude et les fatigues des récoltes, il se refusait à mourir. Vigoureux, endurci, il se vantait de pouvoir encore nager nu dans la lagune glacée, certains soirs, pour rendre visite à sa défunte femme dans des plongées éperdues. Depuis sa ferme de Santa Carolina, il observait avec un stoïcisme muet les naissances et les deuils se succéder dans sa famille, et rien ne paraissait le distraire de la fabrication de ses vins. En janvier, Lonsonier avait donné un nouvel élan à sa production en imaginant une agriculture moins industrielle, inspirée par le savoir-faire français d'après-guerre qui voulait retrouver la jalouse alchimie du palais et de la plante. Pour protéger ses terres, il entoura ses vignes de figuiers, offrant aux oiseaux des fruits sans valeur afin de les détourner des raisins, et suivit une sorte de cahier des charges qu'il s'était lui-même imposé, en filtrant les moûts et en variant la teneur des sulfites. Telle était sa situation quand il apprit que sa petite-fille Margot avait accouché d'un garçon. Il déserta son vignoble, sa cave en pierre et son lac, monta dans un train avec une caisse de vin et fit son apparition dans le salon de Santo Domingo, quelques heures plus tard, robuste comme un acacia, pour donner à son arrière-petit-fils son premier biberon de vin.

– Cet héritage n'a pas besoin de testament, dit-il.

Personne ne douta des origines de ce bébé. Physiquement, il ressemblait tant à Margot qu'on s'accorda à penser qu'elle l'avait eu seule. Cependant, alors qu'elle avait été une enfant silencieuse et discrète, Ilario Da était bruyant, flamboyant, bagarreur. C'était un être si retentissant que les voisins, l'entendant pousser de longs cris la nuit, avec une vitalité théâtrale, redoutaient qu'il ne devînt chanteur. À peine né, couché dans une corbeille de rotin, sans cesse à l'affût, il pointait mille objets par minute, ne dormait qu'avec les yeux ouverts, et se muscla si vite qu'il parvint à marcher avant de ramper. Tout le monde pensa que ces puissances sourdes, cette assurance et cette force souterraines, tour à tour, prédisaient d'amples passions à venir, mais Margot fut peut-être la seule à s'inquiéter, reconnaissant dans cette énergie assoiffée le véritable indice des vies complexes.

Ilario Da put grandir à l'abri dans cette fabrique d'hosties qui était un monde clos, avec ses propres règles et ses propres lois, à une époque où Santiago était encore une ville sûre, sans délation ni terreur. Grâce à Hector, l'atelier devint bientôt pour lui un refuge de sérénité. Il s'éduqua dans cette odeur de farine et de cuveau à blé, de suint et de poussière, d'humidité et de presses, les oreilles habituées au bourdonnement des machines et aux jurements des travailleurs. C'est vers cet âge qu'il apprit à dire le nom d'Hector avant celui de Margot, à l'appeler avec une hâte naïve et une timide inspiration, sans savoir qu'il continuerait de l'invoquer jusqu'à son dernier souffle, après une vie de batailles et de tourments, car seul celui qui était entré dans sa famille par la porte du délit, qui était issu d'une longue lignée de Caribéens et de prophètes, qui n'avait connu de l'existence que la hiérarchie des usines, seul cet Hector à la figure de salpêtre avait la bravoure et la dignité à laquelle il aspirerait toujours.

Quatre ans après la mort de Lazare, Hector Bracamonte était parvenu à faire respecter sa nouvelle position et à transformer l'entreprise en un semblant de coopérative. Ilario Da, qui n'avait ni père ni grand-père, projeta sur lui une admiration aveugle. Il prenait place sur les sacs de farine, entassés dans l'entrepôt, sous la nef géante de la salle principale, et flairait à plein nez son odeur de pâte mouillée. C'est ainsi qu'il entendit parler de l'anarchisme comme liberté, de la Banque du peuple, de l'histoire de la résistance indigène *mapuche* et des cavaleries rouges. Quand il demandait à entendre pour la dixième fois l'histoire de Santa Maria de Iquique,

Hector Bracamonte lui répondait qu'il fallait plutôt observer les gestes du labeur patient, discipliné et méthodique.

– Les plus grandes luttes se gagnent sur le terrain même qu'on combat, disait-il.

Hector aima cet enfant comme s'il avait été le sien, mais n'en laissait rien paraître. Les silences masculins remplaçaient les baisers, les tâches journalières se substituaient aux indulgences maternelles, les exigences du devoir chassaient les cajoleries. C'était comme si une virile entente liait ce travailleur bourru à ce bâtard, l'un s'abreuvant de la sécheresse de l'autre, tous deux déjà habitués, à chaque extrémité de la vie, aux obligations de l'engagement. Cette tendresse ouvrière, marxiste, fit d'Ilario Da un enfant intelligent et coriace, satisfait de cette aridité de l'âme, qui fuirait jusqu'à la fin de ses jours les câlineries inutiles et les caresses des femmes.

L'absence de piété fut sa dévotion. Il mangeait dans une gamelle comme les manœuvres, des légumes cuits à l'eau, quatre œufs au réveil et du *choclo* pâteux en quantités prodigieuses. Il apprit à endurer l'hiver sans se plaindre, et à refuser les privilèges. À six ans, il assista dans les bras de Margot à une marche en soutien d'un jeune candidat socialiste, Salvador Allende, qui se présentait à la présidentielle, mais qu'il perdit face au général Ibañez. Il en garda un souvenir si profond qu'à partir de cet instant il ne céda jamais plus à l'appât des richesses et au goût du luxe, et ce fut à cette période que s'enracinèrent en lui pour toujours, au contact des leveurs de masse, le dégoût pour les hiérarchies et l'admiration des classes opprimées.

À neuf ans, il eût ressemblé à tout autre jeune Français au Chili, s'il n'avait eu ce secret, ce sang mystique. Dans ses jeunes années, Margot lui trouva des ressemblances avec le visage pâle et carré de Helmut Drichmann, jusqu'au jour où elle vit son fils jouant dans le jardin, torse nu, indifférent aux oiseaux de la volière, et comprit brusquement qu'il n'avait hérité de son père que le sexe. Un soir, alors qu'Ilario Da revenait de l'école, il demanda à sa mère sur le chemin de la maison :

– Qui est mon papa ?

Margot se dit que tout le monde avait droit à la vérité, même les enfants. Elle répondit donc avec la plus grande honnêteté :

– C'est moi.

Depuis cette conversation, on ne parla plus jamais de la filiation d'Ilario Da qui se mit à répéter que son père et sa mère étaient la même personne. Son enfance se déroula ainsi entre assemblées ouvrières autour des hosties et visites mensuelles d'Aukan, chargé de contes et d'inventions, qui arrivait à la fabrique en sautillant, rajeuni par les aventures, baigné d'un parfum étourdissant d'écorces froides, avec dans les poches des bonbons aux herbes, des petits sacs de maïs et des pâtes d'amande. À présent, cet homme aux talents mirifiques et à la parole

153

éclatante était las de traîner ses magies dans les contrées ignorantes, las de dilapider son art parmi les voleurs de poules et de pumas, las de courir les marchés de sorcelleries. Il avait décidé de s'installer à Santiago, dans une petite maison aux abords de la ville, où il invitait Ilario Da pour lui ouvrir les coffres de son imagination dans une pièce remplie de volumes en peau de veau qui avaient traversé la Cordillère à dos de mule. Il lui évoquait un univers où vivaient des communautés de femmes guerrières, où des géants se transformaient en statues de bois et où des filles naissaient dans le feu des cannes à sucre. Quand Ilario Da lui demandait où se trouvait ce pays de merveilles, Aukan pointait la bibliothèque derrière lui et s'exclamait avec un mouvement exalté :

– Ce pays est dans les livres.

Ce fut lui qui alphabétisa l'enfant, d'abord en mapuche, car il s'agissait selon lui de la première grammaire, puis en espagnol, le jour où il constata que sa vivacité d'esprit pouvait contenir aisément une langue ancienne et une autre récente. Ilario Da put rapidement tracer des lettres sans trembler, à l'aide d'une plume d'oie vierge et d'un encrier d'ivoire, avec une déférence religieuse. Quand il eut fini d'écrire son premier mot, il le lut à voix haute, avec un geste déclamatoire : *Revolución*. Il se cloîtra dans sa chambre pour le reproduire en grand, sur plusieurs feuilles différentes, tachant à l'encre noire tous les tapis, remplissant des cahiers de ces dix lettres prophétiques qui n'avaient pas encore à ses yeux le triomphe qu'elles auraient bientôt. Ces pages, aux caractères maladroits et gigantesques, furent conservées par Margot dans un petit carton rouge qu'elle rangea à l'étage de la fabrique, sur une étagère de la chapelle de Lazare, jusqu'à ce que vingt ans plus tard la dictature les tirât de l'oubli.

À douze ans, Ilario Da était si décharné que, lorsqu'il perdait quelques grammes, on craignait qu'il ne disparaisse. Il se mit à croître à une vitesse alarmante, sans toutefois prendre du poids, au point que cette maigreur d'abord discrète devint affreusement visible. À treize ans, il mesurait un mètre soixante-cinq et pesait quarante-six kilos. Il était haut et fin comme son pays. Ses muscles liaient et déliaient des nœuds fragiles comme une tige de cassis et, bien qu'il fût encore plus près de l'enfance que de l'âge adulte, Margot jugea que le moment était venu de le présenter à son arrière-grand-père.

Ils partirent pour Limache un dimanche de septembre pour rencontrer *El Maestro*. Mais Étienne Lamarthe n'eut pas le temps de connaître son arrière-petit-fils, car il mourut cet après-midi même, une trompette à la main, entouré de ses instruments et de vingt étudiants, lors d'une répétition de Bellini dans les salons de l'intendance. Déjà à cette époque, il suivait un régime assez frugal, ne mangeant plus que des graines et des carottes, des noix au miel et du poisson cru, passant ses journées à adapter des livrets et à écouter des vinyles d'opéras célèbres.

Ce garçon bronzé et festif, au cœur aventureux, qui avait traversé un océan avec trente-trois instruments dans une malle, s'était transformé en un vieil homme aux cheveux transparents et à la silhouette spectrale, délicatement voûté par l'habitude de se pencher sur son pupitre de chef d'orchestre, et victime de fatigues qui le faisaient s'arrêter en pleine rue pour se tenir à un réverbère.

Le jour de sa mort, il dirigeait. Agrippé à son pupitre, la baguette à la main, il en était au troisième mouvement, quand il entendit brusquement dans sa poitrine trois coups de brigadier. Un silence complet s'ensuivit à l'intérieur, un rideau de velours brouilla sa vue, et il eut l'impression d'entrer pour la première fois dans une œuvre dont il ne connaissait pas la partition. Il ne laissa rien paraître et eut l'élégance de mener la répétition à son terme, si bien que personne ne remarqua dans la fosse que le cœur d'*El Maestro* venait de s'arrêter. À la fin, il s'écroula sur scène. Dans un tumulte, on le porta jusqu'à sa maison et on le posa sur son lit dans une alcôve modeste où parvenait déjà la rumeur de la rue :

– *El Maestro se está muriendo.*

Étienne Lamarthe, la tête posée sur cinq oreillers, demanda qu'on lui apportât sa trompette. Il la colla à sa bouche, mais son poumon ridé et stérile ne put que souffler une note affreuse, un bruit rauque, une sourde plainte qui lui révéla subitement la gravité de son état. Il poussa un dernier soupir, serra les poings, l'oreille tendue vers une mélodie lointaine, et une malice heureuse ferma ses yeux.

Au même instant, Margot et Ilario Da arrivèrent sur la place qu'on commençait à paver. Au milieu, entre des murs d'affiches bigarrées et des bâtiments à deux étages, on voyait encore posée sur son socle la tête de Vincenzo Bellini, les boucles de cuivre de Chuquicamata au vent, qu'on avait fondues pour le concert d'*El Maestro* soixante ans auparavant. Deux hommes déboulonnaient la statue et Margot, tout à coup frappée par un pressentiment, dit avec une voix déchirée :

– *El Maestro ha muerto.*

Pendant neuf jours, une longue file s'étendit à l'entrée de la maison, car chaque habitant de Limache avait réclamé un instant pour se recueillir sur sa dépouille. Près du lit à quatre colonnes, Ilario Da regardait le profil d'ivoire du *Maestro* et eut l'impression que cet arrière-grand-père avait le même visage pâle que ceux qui ornaient les hosties de la fabrique. Il était trop adolescent, et ne le connaissait pas assez, pour s'émouvoir de cette perte, mais il eut la décence de ne rien dire pendant toute la cérémonie et d'observer cet enterrement qui devait lui servir, une semaine plus tard, de matière pour une nouvelle.

En revanche, Margot, qui le veilla toute la nuit, le pleura plus que son propre père. Soudainement venait d'être effacée l'image de ce grand-père solidaire, peut-être le seul et unique homme à avoir cru, depuis son enfance, à sa force créatrice. Elle fut surprise de le trouver si petit, si vieux, si ratatiné, n'ayant conservé de son passé que ses cheveux en désordre et son air de marin sétois. Elle releva doucement le col de sa veste, en lui murmurant des mots affectueux, lui caressant le front, et réajusta le nœud papillon avec lequel on l'avait habillé pour l'éternité. Elle contempla horrifiée le passage du corps quand il fut transporté du lit au cercueil orné de clous dorés, et ce n'est qu'une fois installé dedans, paisible, la baguette entre les mains, qu'on déposa la tête de Bellini à l'intérieur, comme une relique biblique, afin qu'il reposât avec celui qui avait élevé sa musique jusqu'aux robes de la Cordillère.

Lors d'un cortège de grandioses funérailles, tout le village se joignit à la procession pour rendre hommage au seul compositeur que Limache ait vu dans son histoire, mais pas une seule note ne se fit entendre. Pour commémorer l'homme aux sons les plus retentissants qu'ait connu cette région, on souhaita garder un silence digne, en accompagnant la bière sans fanfare, au point que cette absence de musique maintint toute la presse en éveil pendant deux semaines. On l'inhuma sous une petite colline en face du cimetière, et non dans l'enceinte même, comme s'il s'agissait d'un être à mi-chemin entre le ciel et la terre, et sur la stèle on fit seulement graver le mot *Maestro* avec une clé de sol dorée.

Deux jours plus tard, sur la place, on remplaça la statue de Bellini par son propre buste.

Le lendemain, Ilario Da se leva avec le désir irrépressible de raconter cette scène dans un cahier que lui avait offert Aukan. Ses premières phrases, composées d'abord pour le distraire, devinrent une source de plaisir, puis une forme de nécessité. À peine eut-il commencé à écrire que la cathédrale de son esprit se peupla de personnages qui y firent irruption comme dans une fête, formant un pays entier de fables et de batailles, qu'il s'essoufflait à enrichir avec une telle euphorie, une telle facilité, qu'il noircissait la page suivante sans avoir fini la précédente. Son écriture était petite, serrée, presque coincée sur elle-même, comme pressée d'avancer, avec de longues queues sur les *p* et les *q*, et des tours qui montaient sur les *l* et les *d*. Pas de boucles, pas de rondeurs, des majuscules fines et hautes, des épées et des cœurs d'aiguilles, comme s'il reportait dans la vitesse de son encre la ferveur de son sang.

À dix-huit ans, il avait adopté l'attitude des existentialistes, toujours une cigarette aux lèvres, un air pénétré, vêtu d'un manteau de feutre à carreaux, l'haleine assombrie par dix-sept cafés avalés dans la journée. Il pouvait alors s'attarder des heures sur un détail de l'histoire sans en perdre le fil et se révéla être un puits intarissable de retournements. Il était aussi envoûtant qu'un tribun, aussi malin qu'un diseur de fortune. Il savait soigner les pauses, entraîner des silences de tension narrative, contenir l'émotion d'un personnage pour ne pas briser l'élan, expliquer sans dire, inventer une astuce pour relancer le récit et dresser un paysage si réel, si fidèle, que celui qui l'écoutait avait l'impression d'y être tout entier.

Ainsi, il créa dans son université un journal mural hebdomadaire qui servait de panneau informatif aux étudiants. Des poils épais, solides comme de la paille de fer, lui poussaient sur le menton et le torse. Il commença à porter une moustache brune aux pointes jaunies de tabac et se mit à nourrir pour la politique cette fascination qu'ont ordinairement les artistes pour l'art.

Ce fut plus ou moins à cette époque qu'il fit la connaissance de Pedro Clavel, militant du MIR vénézuélien. C'était un brun vigoureux, aux os saillants et au teint ocre, avec une belle crinière de palmier, dont les cals des mains et les cratères de la peau révélaient des années passées dans les sierras tropicales. Il avait emprunté les enseignements castristes à la fin de la dictature de Perez Jimenez, s'était battu pour les réformes agraires alors qu'il n'était pas paysan, s'était sauvé miraculeusement d'une exécution au Nicaragua, et toutes ses expériences, aussi dangereuses qu'émouvantes, lui avaient inculqué une foi combative que le temps rendait de jour en jour plus sévère et plus grave.

Ilario Da le rencontra dans un café qu'on appelait *Rincón Caliente* où, tous les jeudis après-midi, un groupe de jeunes activistes, de socialistes cubains et de militants argentins, se réunissaient autour de bouteilles de vin et d'*empanadas* pour débattre de la grève des mineurs de cuivre, de l'arrêt de travail des camionneurs et des tentatives de déstabilisation sociale. Un matin, emporté par une discussion sur le libéralisme autoritaire, Ilario Da suivit Pedro Clavel jusqu'à sa maison, dans la grande banlieue de Santiago. Il vivait dans une dépendance au fond d'une arrière-cour remplie de cochons et de lapins. Il lui montra les trois étagères de sa pauvre bibliothèque, au-dessus de son lit, pleines de pages et de lettres écrites à la hâte sur des papiers codés. Il évoqua sa famille de Maracaïbo, sa femme Céleste, sa sœur magnifique, nommée Venezuela, dont le destin allait croiser celui d'Ilario Da, bien des années plus tard, à Paris.

Puis la conversation dériva sur le danger d'une dictature des libéraux et l'importance de se préparer à toute éventualité. Il était un modèle d'intelligence et de courage, et dans les moments où il s'enflammait en se rappelant ses luttes passées, Ilario Da était impressionné par sa modestie. À cette époque, les jeunes militants se passaient de main en main le livre de Nikolaï Ostrovski, *Et l'acier fut trempé*, publié à Santiago, dont la couverture était faite d'un carton déjà utilisé d'un côté, si bien qu'en retournant l'ouvrage on voyait des extraits de vieux comptes. Le seul exemplaire de Pedro Clavel était devenu un amas compact de feuilles écornées et annotées, un monument de pages brunies par la pluie et les moustiques écrasés, qu'il tendit à Ilario Da avec une solennité soviétique.

– On a besoin d'hommes comme toi dans le parti, lui dit-il.

Ilario Da ne put dissimuler son étonnement.

– Quel parti ?

– Le MIR, répondit Pedro Clavel en baissant la voix.

Ce fut ainsi qu'Ilario Da intégra le MIR, mouvement d'extrême gauche révolutionnaire, qui prônait la dictature du prolétariat et l'émancipation des classes ouvrières. Il rejoignit cette nouvelle famille avec un mélange de stupéfaction et de confiance, et fit le serment muet d'une complicité qui durerait toute sa vie. Il déserta l'université et pénétra dans une autre école, peuplée d'hommes et de femmes aux discours nouveaux, où il était question de coopératives, de salaire minimum, de retraite et de congés payés. Il se laissa pousser les cheveux, revisita les trésors de la culture bolchevique, exhuma des artistes oubliés que les vieilles républiques avaient enfouis, essayant de saisir cet instant politique dont il sentait, dans son ignorance, qu'il devait être mémorable. Il débarquait à toute heure chez lui, avec une veste en cuir et un T-shirt rouge, une casquette et des bottes montantes, avec cet air déterminé qui lui valut le surnom de *Pantera*. Repoussant avec ardeur toutes les digues que sa classe lui imposait, il portait ses boucles en visière, désordonnées, sales, sur ce front obstiné où toute une vie d'engagement était déjà présente en germe.

– Ce garçon va finir marxiste, s'exclamaient les vieilles dames de son quartier.

En septembre 1970, le président Allende arriva au pouvoir. Cette victoire eut un tel retentissement que, pour la première fois, on vit le visage d'une autre jeunesse dans les rues, qui brandissait d'ancestraux *palines*, des enseignes et des pancartes, venue célébrer l'instant historique où la voix du peuple avait vaincu celle des oligarques. Ilario Da et Pedro Clavel se joignirent, comme la moitié du pays, à la foule qui s'était amassée sous le balcon de la Moneda, où le président du peuple se tenait debout en costard simple, le bandeau en écharpe. Bientôt, on nationalisa quarante-sept usines et on facilita le recours au crédit. La réforme agraire expropria plus de dix millions d'hectares de terrains fertiles, on connut le plein-emploi, on bénéficia d'une hausse des salaires, et l'Unidad Popular, en un seul acte démocratique, récupéra les mines de cuivre jusqu'alors exploitées par des entreprises nord-américaines.

Ilario Da découvrit alors, avec une passion qu'il ne parvint pas à dissimuler, l'irrésistible enchantement des nuits blanches à critiquer le *système capitaliste*. Ces mots sonnaient comme un ordre diabolique, tentaculaire, imparfait et imposé, des mots qu'il fallait non seulement combattre, mais réécrire.

Souvent, il passait le dimanche avec Margot, devenue une hippie aux tresses colorées et aux habits larges, une gitane désargentée par la vie, au cou orné de colliers de pépins et aux poignets chargés de bracelets. On avait du mal à reconnaître l'aviatrice d'hier, fauve et flamboyante, qui avait grandi dans des écoles militaires et combattu en Europe avec la RAF. En hiver, elle organisait des réunions de pacifistes dans son salon, recevant une dizaine de vieux collègues, comme s'il s'agissait d'une congrégation de moines. Margot fut surprise de trouver un jour parmi eux un vieil homme élégant et accablé, arborant une épaisse crinière blanche, une peau poudreuse, un nez en bec d'aigle et l'attitude d'égarement permanent qu'on trouve chez les déracinés. C'était Bernardo Danovsky qui, trente ans après la disparition de son fils, s'était ramolli au point de n'avoir presque plus rien en commun avec l'homme que Margot avait rencontré dans son jardin. Il travaillait désormais à l'aérodrome de Tobalaba, dans un immense champ à découvert de la commune de La Reina, où l'on avait transplanté le club d'aviation de Los Cerrillos qui avait fermé. L'endroit était si vaste, les installations si nombreuses, qu'il n'y avait pas assez d'avions pour les remplir. Margot le reçut avec tendresse et, à compter de cet instant, Bernardo Danovsky se rendit à toutes les *tertulias* qu'elle organisa, apportant toujours des bouquets de bégonias rouges qui, selon lui, distillaient dans la pièce des odeurs de pistes de décollage.

Un soir, alors qu'ils faisaient un tour dans le jardin, Bernardo découvrit l'avion artisanal que son fils avait construit de ses mains. Il en fut si ému qu'il proposa à Margot, en guise d'hommage, de le déplacer jusque dans un des hangars de l'aérodrome de Tobalaba pour en protéger la mémoire.

– Qui sait ? dit-il. Il volera peut-être.

Un camion vint chercher l'avion et Margot s'occupa personnellement de l'installer dans un des entrepôts où il demeura dans l'ombre, pendant quelques années, jusqu'au moment où l'on vint le sortir illégalement pour son dernier vol.

La prédiction selon laquelle Ilario Da ne s'agenouillerait devant personne se confirmait peu à peu. Mais en matière de politique, Margot n'était jamais d'accord avec son fils. Leurs opinions s'entrechoquaient sans cesse. Margot avançait l'idée d'une révolte pacifique. Elle s'était mis en tête que la guerre était un fruit d'Europe et que le Chili avait la paix des paradis. Elle ne soupçonnait pas qu'on pût commettre, au cœur de ce pays fabuleux qu'elle avait aimé par-dessus tout, les mêmes exactions que de l'autre côté de l'océan. Ilario Da ricanait en répondant qu'on ne peut changer un système par le système. On ne fait pas une révolution par les urnes.

– C'est une contradiction sémantique, déclarait-il.

Alors qu'ils s'enivraient dans ces nuits blanches, leurs polémiques se noyaient dans des arguments confus. Ilario Da péchait par éloquence, Margot par expérience, et la conversation prenait des tournures qui les faisaient aboutir aux mêmes conclusions par des sentiers différents. Ils se taisaient alors, épuisés d'avoir tant nagé pour atteindre le même rivage, tous deux convaincus que l'histoire les absoudrait. Cependant, un après-midi, Margot ne put réprimer un tremblement d'inquiétude et dit à son fils :

– S'il arrive quelque chose, promets-moi que tu iras en France et que tu trouveras ton arrière-grand-oncle.

Elle ajouta :

– Il s'appelle Michel René.

Au même instant, Hector Bracamonte, passant par l'atelier pour chercher une vieille facture, monta dans le bureau. Il se mit à fouiller dans les affaires de Lazare et tomba par hasard, à l'intérieur d'une veste pendue à un clou, sur le revolver qu'il avait acheté à Ernest Brun, à l'époque où il avait tenté de le voler. Il ne le toucha pas et descendit calmement dans le hall de la fabrique. C'est à cet instant que Thérèse, toute retournée, fit irruption :

– *Están bombardeando la Moneda*, cria-t-elle.

Depuis une heure, une junte militaire bombardait la Plaza de la Constitución et on sut plus tard que le président Salvador Allende, enfermé dans son palais présidentiel avec une arme offerte par

Fidel Castro, s'était suicidé, alors que le cuivre de sa voix résonnait encore dans les radios. On raconta que des officiers putschistes firent la queue devant son cadavre et lui tirèrent une balle dans le corps, un par un, comme une cérémonie macabre, et que le dernier lui défigura le visage avec la crosse de son fusil. Fin septembre, il fut couché dans son cercueil la figure enroulée dans un linceul et on ne permit à personne, pas même à sa femme, de le découvrir. L'attaque aérienne surprit tout le monde par sa précision et son expertise. Il ne fallut pas enquêter longtemps pour comprendre qu'elle avait été menée par des groupes d'aviateurs acrobates américains, arrivés sur les côtes chiliennes dans le cadre de l'opération Unitas, et que le grand architecte avait été Henry Kissinger à qui on remit, quelques années plus tard, le Prix Nobel de la paix.

Pendant les jours qui suivirent, des hélicoptères firent des rondes au-dessus des quartiers pauvres. Santiago fut envahie d'hommes en uniformes militaires, une nouvelle caste émergente, de tanks et de voitures blindées, de drapeaux et de défilés. En quelques semaines, ils liquidèrent les chefs syndicalistes connus, ils abattirent des opposants socialistes, ils démantelèrent des partis gauchistes, et on apprit un matin en lisant *El Mercurio* qu'ils avaient dissout le Congrès national et les conseils municipaux. Après le couvre-feu, les *carabineros* défonçaient les portes à coups de pied, sortaient des couples du lit et les faisaient disparaître dans les interminables listes noires de la junte. On retrouvait des adolescents dans des terrains vagues avec trois balles dans le dos, d'autres contre un mur d'épicerie, en pleine rue. Le pays entier était survolé par des avions de chasse, des bus remplis de *carabineros* traversaient les villes en traquant les communistes, les maisons étaient vidées de leurs livres, tandis que les nouveaux dirigeants s'affichaient dans la presse avec des lunettes de soleil, assis dans les salons de la Moneda, la poitrine bardée de médailles et de galons, s'installant pour dix-sept ans de dictature.

Le Chili devint un pays d'arrestations, d'exécutions sommaires, de procès truqués. La Dina fouilla les universités, les bibliothèques, les laboratoires de recherche, déportant les esprits les plus éclairés du siècle. Trois mille personnes assassinées, trente mille prisonniers politiques, vingt-cinq mille étudiants expulsés, deux cent mille ouvriers renvoyés. Les prisons se remplirent de professeurs émérites, d'intellectuels, de musiciens, d'artistes. Les domaines viticoles se transformèrent en centres d'interrogatoire où on torturait des poètes, des boulangers, des luthiers, des marionnettistes. Marcher dans la rue le soir était interdit, avoir des cheveux longs était un délit, lire de la poésie était suspect. Ils voulaient construire un moulin, alors qu'ils interdisaient le vent.

Ilario Da pénétra dans un univers où la délation était quotidienne. La dictature les serrait comme une étreinte. La résistance était limitée. Dans les caves, on imprimait des volants tapés à la hâte, où l'encre bavait, qui portaient des titres sans poésie. On utilisait le mot « Allende » comme un porte-bonheur, comme une amulette pendue au cou, caressant ses syllabes qu'on répétait sans se lasser avec une rage contenue. Jamais le Chili ne mena de bataille plus digne que celle qui se joua dans les arrière-cours, où s'unissaient les partis clandestins dans les chambres secrètes, et où l'on écrivait les pamphlets dans les celliers. Il apprit les veines cachées de Santiago, toutes les traboules et les passages secrets, et s'amusait, en rentrant chez lui, à ne prendre que des raccourcis pour se préparer au jour où il devrait échapper à la police. Cette double identité, de bourgeois et de militant, était à la fois angoissante et excitante. Masqué, il appartenait à cette ville miroitante, pleine de combattants inconnus, à cette nation d'armes cachées, à cette fratrie d'êtres qui ne se connaissaient pas, mais qui étaient unis par une sacralité plus forte que celle d'une famille. Rien n'était plus adapté à son âge, à son insouciance impénétrable, que cette taupinière creusée d'abris et de poternes, peuplée de jeunes qui se lançaient dans la résistance, où les guettaient la torture, la prison, l'exil, avec autant de courage que les premiers aviateurs, embarquant dans des machines aveugles, qui mettaient leur vie dans les mains du ciel.

Un vendredi de septembre, vers 15 heures, bien avant le couvre-feu, Hector Bracamonte fut surpris par des coups furieux contre la porte de la fabrique. Un détachement de cinq hommes, sortis de deux camionnettes sans plaques, débarqua dans la pièce commune. Ils se mirent à fouiller les machines et les fours à hosties. Deux d'entre eux, habillés en civil, ordonnèrent à tout le monde de se rassembler au milieu de la salle, papiers d'identité en main. Ilario Da tendit sa documentation et, sans même y jeter un œil, un militaire le dévisagea :

– Tu es du MIR, pas vrai ?

– Du quoi ? se surprit Ilario Da.

L'homme le tira vers le groupe d'ouvriers qui se tenaient déjà entassés. Alors apparut un lieutenant, aux cheveux coupés court et aux lunettes de soleil sur le nez, qui venait de sortir d'une des camionnettes, et qui se mit à trier les cartes d'identité avec une nonchalance paresseuse.

Il portait un uniforme de camouflage militaire, sans casque ni ceinturon, et des bottes kaki qui remontaient jusqu'aux genoux. Bien qu'il y ait une tension palpable, tout se déroulait dans une ambiance de fausse cordialité, et les carabiniers ne paraissaient même pas s'intéresser réellement à ces ouvriers, battus de fatigue, qui avaient été arrachés à leur poste de travail. Le lieutenant ordonna de fouiller malles et commodes, toutes les armoires de l'atelier, de déplacer les machines et de retourner les sacs de farine, à la recherche d'une preuve.

Au bout de quelques minutes, deux militaires revinrent avec le carton rouge de Margot.

– Avez-vous un mandat de perquisition ? demanda Ilario Da.

Le lieutenant bougea à peine les lèvres.

– Ici, c'est moi qui pose les questions.

Sans attendre, il ouvrit la boîte. À l'intérieur, il découvrit les feuilles où Ilario Da avait écrit, vingt ans auparavant, le mot *Revolución*. Au fond, il trouva les deux sacs remplis des balles d'Ernest Brun.

– Je vois qu'il y a des enfants dans cette maison, dit-il en montrant les sacs. C'est à qui ?

Ilario Da devint livide. Il allait parler, quand Hector Bracamonte le coupa.

– C'est à moi.

– Tu les sors d'où ?

– C'est un cadeau de Noël, répondit-il.

Le lieutenant serra les mâchoires. Personne ne put dire à quel moment précis une colère brusque lui monta au visage. Soudain, il s'avança à deux centimètres d'Hector et lui assena un violent coup de coude à la mâchoire. Hector tomba à terre dans un jet de sang et quelques dents volèrent jusqu'à l'autre extrémité de la pièce. Le lieutenant le frappa comme un inconscient, au creux de l'estomac, possédé par une rage qui avait subitement grandi en lui. Hector se recroquevilla et protégea sa tête avec ses bras. Des ouvriers voulurent le défendre et des coups accompagnés de menaces partirent en tous sens. On repoussa tout le monde contre le mur et on les obligea à rester immobiles, les jambes écartées, en braquant des canons contre leurs tempes, tandis que des mains rugueuses fouillaient leurs poches et vidaient leurs portefeuilles.

Quand les militaires comprirent que l'atelier était adossé à une maison, plusieurs hommes franchirent la petite clôture de Santo Domingo. À cet instant, Thérèse, au milieu du jardin, remplissait de graines d'avoine les mangeoires de sa volière. Elle vit des carabiniers avancer jusqu'à elle, et crut qu'un accident était arrivé. Mais elle comprit rapidement qu'il s'agissait d'une autre affaire lorsque, obéissant à des ordres venus de l'arrière-cour, deux soldats l'arrachèrent aux nichoirs et la contraignirent à se coucher par terre, les mains croisées sur la nuque.

– Ne faites pas de bêtises, lui dit-on.

Le lieutenant apparut. Il se pencha vers Thérèse et posa un genou à terre.

– Est-ce que vos oiseaux sont communistes, Madame ?

Thérèse releva le menton vers le lieutenant et croisa son regard arrogant. Alors, il dégaina un pistolet de sa ceinture et tira sur le premier oiseau qui s'avança du grillage. Toute la volière s'affola. Le hibou de Thérèse bascula les ailes en arrière, une balle au milieu du front, les paupières ourlées, soulevant dans sa chute une poussière de fleurs et d'écorces sèches, tandis qu'un filet de sang acide

172

coulait sur son duvet. Le lieutenant s'agenouilla à nouveau.

– Dites-moi tout ce que vous savez, lui murmura-t-il.

En état de choc, Thérèse fixa l'homme avec des yeux pleins de larmes.

– Tant pis, conclut-il. Abattez-moi tout ça.

Dans la lumière mauve de la vieille vigne, deux carabiniers, armés de mitraillettes, firent feu. Ce furent dix minutes de massacre pendant lesquelles tombèrent, les uns après les autres, tous les oiseaux que la famille Lonsonier avait rassemblés au fil des années. Les corps s'écrasaient dans la fumée des canons et les hurlements des oiseaux recouvraient ceux de Thérèse qui, impuissante, se bouchait les oreilles de ses mains. Quand il ne resta plus un seul animal vivant dans la volière, les carabiniers tournèrent les talons et quittèrent le jardin.

Ilario Da, contre le mur, était en train de prier quand la détonation retentit. Il entendit ensuite d'autres coups de feu et imagina le pire. Il comprit que s'ouvrait une des périodes les plus douloureuses de sa vie, mais il ne soupçonnait pas encore à cet instant que la balle qui avait abattu le hibou de Thérèse, qui lui avait explosé la cervelle et blanchi la pupille, ferait aussi basculer sa grand-mère dans une lente folie. On le roua de coups de crosse et on le traîna vers les camionnettes. Mais avant de quitter l'atelier, Hector, la bouche en sang, avec une sobriété admirable, demanda la permission d'aller chercher sa veste dans le bureau.

– Tu veux aussi prendre ta brosse à dents ? demanda un militaire.

– C'est mon droit, répondit Hector.

– Fais vite.

Il monta l'escalier et reparut deux minutes plus tard avec la veste de Lazare où le revolver était dissimulé. Dehors, les deux fourgonnettes attendaient, portières ouvertes, gardées à l'avant et à l'arrière par des hommes armés. On jeta Hector et Ilario Da dans l'une d'elles, à l'odeur rance, où se tenait déjà un autre détenu, le cou en sang, contre la vitre de droite. Ilario Da se retrouva au milieu et Hector contre la porte de gauche, derrière le pilote.

Le lieutenant monta à la place du copilote. Hector, inébranlable, avait fermé son visage totémique. Ce n'est que lorsque le lieutenant s'avisa de boucler sa ceinture qu'Hector sortit le pistolet de sa veste et, profitant de ce moment d'inattention, lui tira dans l'oreille.

La déflagration provoqua un bruit de tonnerre dans la voiture. Du sang et des morceaux de cervelle giclèrent sur le tableau de bord. L'impact projeta la tête du lieutenant contre la vitre. Hector baissa le canon et tira une deuxième fois entre les jambes. Ses testicules explosèrent comme deux ballons et rougirent le siège. Le chauffeur, qui n'avait pas encore démarré, fit volte-face et se jeta sur lui. En lui saisissant le bras, il parvint à tourner le revolver contre Hector et, gagnant la lutte, lui colla le canon contre le front. Il fit feu.

Une ligne rouge divisa en deux ce beau visage et une dernière expression de victoire passa dans ses yeux. Hector eut un sourire, la face ensanglantée, la chemise tachée, et ce fut par ce geste simple que se conclurent vingt années passées au service d'un homme qu'il avait essayé de voler autrefois. Son corps fut tiré du véhicule par des mains hâtives, caché dans une autre voiture sous un drap épais, et on ne le revit plus jusqu'au jour où l'on trouva son cadavre au fond de l'océan, attaché à un rail de train, son beau profil de salpêtre rongé par les crustacés.

Vers 17 heures, alors qu'on assassinait Hector dans une fourgonnette, Margot finissait de boire un thé à la menthe que Bernardo Danovsky lui avait servi. Elle ignorait que toute sa volière venait d'être massacrée, que sa mère se tenait encore devant, à genoux, abasourdie, et jamais elle ne put se pardonner d'avoir été absente. À peine eut-elle quitté la maison de Bernardo Danovsky qu'elle s'étonna du silence qui régnait dans sa rue et des quelques voisins qui s'étaient réunis devant chez elle. Une femme s'approcha, et Margot pressentit un malheur.

– Ils ont emmené Ilario Da, lui dit-elle.

À la même heure, à l'hôpital militaire, plusieurs jeunes détenus patientaient en file contre le mur, lorsqu'un groupe de soldats entra avec fracas dans la pièce. Ilario Da entendit qu'on s'arrêtait derrière lui et qu'on déroulait un ruban adhésif, avec lequel on le banda. Il sentit une pression forte sur ses sourcils et son nez, au contact de la peau froide du plastique.

– Ferme les yeux et n'essaye pas de les ouvrir si tu ne veux pas perdre tes cils jusqu'à la fin de ta vie.

On le fit monter dans une deuxième voiture. Ilario Da soupçonna qu'ils avaient quitté la capitale, car l'asphalte n'était plus aussi régulier et le véhicule tressautait comme s'il roulait sur une route de campagne. Puis on s'arrêta, la portière s'ouvrit et quelqu'un lui tira les cheveux avec violence pour le faire descendre. Menotté dans le dos, il tomba le nez à terre, sans pouvoir se protéger, et on le releva d'un coup de pied dans les reins. On l'obligea à avancer sans lui indiquer les obstacles, si bien que pendant de longues minutes, il marcha à l'aveugle, trébuchant sur des marches, se cognant contre les murs, s'éraflant les épaules contre des barbelés et des tessons de verre, jusqu'à être balancé sur un matelas mouillé. Ils furent cinq à lui tomber dessus à coups de matraque. Ilario Da se roula en boule, cuirassant sa tête entre ses jambes, serra les poings jusqu'à planter ses ongles dans ses paumes, contracta l'abdomen, résistant à tous les chocs en bavant du sang.

Quand les coups ralentirent, il profita de cet instant de répit pour crier :

– Je n'ai rien à voir avec tout ça !

Ce furent ses premiers mots sous la torture et, en les prononçant, il se promit de les répéter jusqu'à la fin.

– On sait que tu es du MIR, subversif de merde !

– Je ne sais pas de quoi vous parlez.

– Monsieur ! lui hurla-t-on à l'oreille. Tu m'appelles Monsieur !

Il allait répondre quand il sentit soudain dans son bras mille aiguilles, comme un nid de vipères, qui lui crispèrent tout le corps.

– Voilà ce qui t'attend si tu ne parles pas, lui dit une voix.

On venait de lui appliquer pour la première fois un électrochoc au niveau du coude. Un violent courant électrique lui avait traversé le squelette comme une pointe de cristal qui allait devenir, au cours de sa détention, l'une de ses plus grandes peurs.

– Je n'ai rien à voir avec cette histoire, Monsieur.

Un deuxième électrochoc le secoua au niveau du nombril et il eut l'impression de se décomposer, parcouru de puissantes décharges, des pieds au cuir chevelu. On lui arracha son pantalon et il se trouva nu. On approcha l'électrode en métal gelé de son sexe rabougri. La brutalité de cette torture le fit tressaillir, mais avant qu'il puisse se dérober, il sentit le courant sur le gland. Il crut que ses testicules allaient exploser. Son sexe se gonfla comme une cloche. Il poussa un cri affreux, se cambrant, écartant les doigts de pieds, sortant la langue comme un pendu, ouvrant les narines et serrant les fesses avec force. Il pensa que ses articulations s'étaient disloquées, que ses os avaient déchiré sa peau, que ses cheveux et ses poils avaient brûlé, que ses dents s'étaient brisées et que ses yeux venaient d'éclater dans leurs orbites. Le choc dura quatre secondes, puis son corps retomba par terre, inerte, un filet de sang coulant au bout du pénis. La souffrance fut telle qu'il crut voir, devant ses yeux bandés, dans la pénombre où l'avait jeté la dictature, Hector Bracamonte flotter dans une sorte de lumière pure, lévitant dans un ciel onirique peuplé de condors et d'hosties, comme un ange indigène, mais il demeura au sol, effrayé, en attendant avec terreur la prochaine décharge.

On lui coupa les cheveux avec des ciseaux rouillés. Le crâne saigna. Puis il écouta la lecture d'un document où il était question d'un arsenal clandestin et d'adresses probables de jeunes communistes.

– C'est la première fois que j'entends ça, Monsieur, balbutia Ilario Da, la bouche pâteuse, la voix tremblante.

On lui colla cette fois l'électrode sur les blessures du crâne. La chair fuma. Ilario Da hurla en s'agitant de toutes ses forces, lançant des coups de pied désordonnés. Au bout d'une heure, comme il ne parlait toujours pas, on le mit debout. Il tenait à peine sur ses jambes, bavant et saignant de partout. Le silence autour de lui l'inquiéta. Puis, il entendit :

– On va te la guillotiner si tu ne parles pas.

Ilario Da sentit alors les mêmes ciseaux rouillés avec lesquels on lui avait coupé les cheveux qui serraient dangereusement son sexe. Une des pointes piquait son testicule gauche et les deux lames pressaient déjà sa base. Une grosse gifle lui retourna le visage.

– Tu vas continuer à jouer les héros sans bite ? Ne sois pas idiot. Quelle femme voudra de toi ? Réfléchis un peu, ne te laisse pas influencer par les pamphlets, ou par ces types qui te dénoncent en ce moment même dans d'autres cellules. Ne sois pas idiot. On va te la couper.

Les ciseaux se resserraient et Ilario Da se mit à pleurer. Ce ne furent d'abord que de petits gémissements irréguliers, puis il perçut que quelque chose se brisait en lui. Le dilemme que chaque génération de Lonsonier avait connu avant lui l'étreignit à son tour. Il lui faudrait, pour ne pas parler sous la torture, pour survivre, dire qu'Hector était le seul coupable. Il ne s'agissait pas de le trahir, mais de profiter du crime qu'ils avaient commis eux-mêmes pour le retourner en sa faveur. Il comprit aussitôt qu'il ne serait jamais libéré sans donner un nom, et que, même en salissant la mémoire de l'homme qu'il avait le plus admiré, il ne se sauverait pas. Avec un faux aveu qu'il ne se pardonna jamais, il dit dans un sanglot :

– Hector Bracamonte savait tout.

Les tortionnaires attendirent, pressant de plus en plus les ciseaux, jusqu'à ce que sa jeunesse fût rompue à jamais et que toute sa dignité d'homme soit réduite à un tas de poussière.

– On va te laisser réfléchir un peu, dit quelqu'un en retirant les ciseaux.

Quatre soldats le mirent debout.

– Dehors, chien.

On lui donna le pantalon d'un détenu qui était mort le matin même, déchiré de la ceinture jusqu'aux genoux, couvert de plaques durcies d'excréments séchés. On le força à se tenir courbé pour passer par des galeries au plafond bas, et on lui fit descendre quatre à quatre des escaliers en coude qui tremblaient au travers de petites rampes. Une porte métallique s'ouvrit et l'air froid lui indiqua qu'il sortait dans une cour. Un coup de poing dans le ventre le plia en deux. Il tomba sur les genoux sans pouvoir respirer, se tordant le bras droit. Le pantalon sale, les menottes, la vieille laine du pull, tout lui piquait le corps. Il avait tellement soif qu'il ne parvenait plus à avaler sa salive et remâchait contre son palais une pâte acide, au goût de vomi.

Quelqu'un passa derrière lui. On remplaça ses menottes par une grosse ficelle en crin végétal, moins chère, qui unissait les poignets et les chevilles en passant entre les jambes. Un militaire s'approcha de son oreille et lui murmura.

– Cet Hector dont tu parles, mort ou pas, ne te servira à rien.

Ilario Da

Après l'assassinat d'Hector Bracamonte et l'arrestation d'Ilario Da, Margot vieillit en une nuit. Dès qu'on eut retiré les oiseaux morts de la volière, elle s'enferma dans sa chambre et passa trois jours à brûler les livres de son fils dans la grande baignoire du premier Lonsonier, persuadée que les militaires reviendraient pour perquisitionner la maison. Thérèse, voyant les épaisses volutes s'échapper, crut que sa fille se débarrassait pour de bon de ce qui restait de la mémoire familiale, comme elle l'avait fait des citronniers à l'époque de la construction de son avion, mais, une fois de plus, elle ne put la détourner de son idée.

– Tu fais partir tous nos souvenirs en fumée, lui déclara-t-elle. On ne gardera qu'un héritage de cendres.

Convaincue que la junte avait fusillé Ilario Da, Margot couvrit les fenêtres du salon avec des mantes d'étamine et ne sortit pas plus loin que son jardin. Écrasée sous de longs ponchos poussiéreux, les yeux rougis par les sanglots, elle établit qu'une malédiction australe était tombée sur sa famille depuis trois générations, si bien que, par un après-midi d'octobre, elle ne remarqua pas l'homme qui fit irruption à Santo Domingo avec des bracelets de cuivre et un serre-tête en laine amarré au front. Il était 15 heures. Margot était encore au lit, enfoncée sous une montagne de mouchoirs et de coussins de mariage, quand elle vit Aukan, dont on ne savait plus rien depuis l'enfance d'Ilario Da, pousser sans autorisation sa porte. Il avait voyagé à cheval toute la nuit depuis Concepción et apportait dans ses bagages la nouvelle urgente d'un rêve prémonitoire.

– *Ilario Da está vivo*, dit-il. Je l'ai vu dans mon sommeil.

Cette phrase, prononcée avec l'inattaquable exactitude des sciences oniriques, fit écho dans son cœur. Ce n'est pas qu'elle crût aux présages mystiques d'un *machi*, ou à la superstition des dons de la nuit, mais cette certitude lui prouva qu'elle devait renaître de ses cendres pour arracher son fils au bûcher. Elle se rendit à l'ambassade de France pour exiger une pression diplomatique, mais le ministère hésita à satisfaire sa demande quand il apprit qu'Ilario Da avait commis un délit et que la junte avait trouvé, dans le carton rouge de la fabrique, un pistolet et des sacs de balles. C'est ainsi qu'elle quitta ses ponchos hippies, ses errances nocturnes, et retrouva ses habitudes de combattante, de celle qui luttait dans les airs contre des chasseurs allemands sur les rivages de la Manche. Elle se démena avec une telle frénésie qu'elle se tailla une réputation de militante qui fit craindre à Thérèse une deuxième intervention des carabiniers.

À cette époque, la peau de Thérèse était sillonnée comme celle des lézards, ses dents avaient bruni, ses années de volière lui avaient laissé un dos bossu, arqué comme un pont, et sa chevelure abondante s'était amincie jusqu'à devenir aussi raide que des aiguilles d'araucaria. Quand elle fermait son visage, la sévère expression de son front évoquait le miroir d'une très vieille dame, pareille à un faucon fatigué, et laissait paraître une mélancolie contenue, fruit d'une longue expérience. Un midi qu'on lui servait du poulet sur un lit de carottes, elle repoussa l'assiette avec dégoût.

– Je ne mange pas d'oiseaux, dit-elle.

À partir de ce jour, elle s'entêta à ne manger que du gruau et du maïs concassé dans des petites soucoupes en porcelaine. Nul ne s'était encore aperçu qu'à son âge elle avait repris l'habitude de sucer son pouce, comme si elle revenait doucement à une enfance lointaine, et ses rares amies, lui trouvant un air maussade, crurent que la situation politique du pays était la raison de sa nostalgie. Mais elle seule comprit, dans un instant de lucidité, qu'elle perdait lentement la tête. Les matinées ensoleillées, tandis qu'elle se balançait dans la chaise à bascule du vieux Lonsonier, le profil tourné vers la fenêtre, il lui arrivait d'appeler Ilario Da comme s'il était encore dans le jardin et, se reprenant, elle partait d'un rire idiot. Voyant que sa mère s'égarait dans les marécages de la folie, Margot, toujours occupée à traiter avec l'ambassade pour la libération d'Ilario Da, décida de passer une annonce pour faire venir une infirmière.

Le lundi suivant parut Célia Filomena avec une petite mallette remplie de robes de rechange, mais aussi de garrots, de bandes et de compresses, vêtue d'une jupe parfaitement repassée et de chaussettes blanches relevées jusqu'aux genoux. Elle n'avait pas dépassé vingt ans, mais une ténacité dans le regard lui en donnait davantage. Elle posa ses affaires dans le salon avec un geste habitué, comme si elle y avait habité toute sa vie, et demeura auprès de Thérèse jusqu'à sa dernière heure. Elle faisait sa toilette avec des huiles essentielles de camomille romaine, lui cuisinait des *brazos de reina* sur lesquels elle versait des litres de *dulce de leche*, nettoyait les pièces en y laissant des effluves d'herbe coupée et, le soir avant de se coucher, lui lisait les textes maladroits d'Ilario Da. Elle se dévoua tant à cette femme, avec une telle piété, que Margot finit par se demander si elles ne s'étaient pas connues autrefois. Cependant, rien ne semblait empêcher Thérèse de rester des heures à fixer depuis sa fenêtre la volière vide du jardin dont les barreaux, encore tachés du sang du massacre, renfermaient le souvenir de ses meilleures années. Ce fut Célia

Filomena qui, comprenant la situation, interpella un jour Margot qui se préparait pour se rendre à l'ambassade.

– Il faudrait lui acheter un oiseau, conseilla-t-elle.

On apporta à la maison, comme autrefois la caisse du hibou, une cage en métal forgé, ornée d'arabesques en stuc, où se tenait un cacatoès blanc de cinquante centimètres de haut dont la huppe cristalline, coiffée en arrière comme un chanteur de tango, se hérissait en touffes au sommet de sa tête quand on lui mettait de la musique. Il venait des rivières tumultueuses d'Indonésie et, bien que son cri ressemblât à une mystérieuse langue d'archipel, sa tendresse pour Thérèse donnait l'impression qu'il était né à quelques mètres de sa maison. Mais l'apparition de cette magnifique créature, qui avait l'usage de la parole, ronronnait comme un chat et riait aux éclats, n'éveilla pas davantage son intérêt. Thérèse restait assise dans son fauteuil de rotin, dans le coin le plus reculé, scrutant son jardin abandonné et, toutes les heures, elle remplissait des petits bols d'un mélange d'alpiste, de pépin de potiron et d'avoine pelée. Elle se mit en tête de prendre des bains dans la vieille baignoire. On la fit porter jusqu'aux pieds de son lit et Célia Filomena, pendant plus de deux semaines, fut chargée de la mission de la remplir d'eau chaude et de frotter le dos de Thérèse avec un torchon trempé à l'ambre de mélasse.

– J'ai mal au poumon, grognait-elle parfois.

La jeune infirmière imagina qu'il fallait, pour l'aider, recréer la volière qu'elle avait eue. C'est ainsi qu'une nouvelle fois, depuis l'époque des splendeurs de Santo Domingo, la maison se peupla d'oiseaux originaires de toutes les régions du monde, qui se glissèrent entre les contrôles des chemins de fer et les bagages secrets des hautes mers. Or ce ne fut ni dans la volière ni dans le salon qu'on disposa les nichoirs, mais directement dans la chambre de Thérèse qui, couchée dans sa baignoire à pattes de lion, entourée des bleuets dont elle avait parfumé l'eau, contemplait dans un silence sylvestre des dizaines d'oiseaux voler autour d'elle.

Son état, cependant, ne s'améliora pas. Son esprit continua de se perdre dans le vide et elle maigrit tellement qu'on aurait dit, dans le nid de ses draps, un petit rossignol de verre. Vers le mois d'octobre, alors que le printemps commençait à habiller la vigne, une toux déchirante vint frapper Thérèse comme dans son enfance à Limache. Un après-midi qu'elle se plaignait, vaincue par l'étouffement, d'un intense mal de gorge, Célia Filomena, qui avait appris de sa mère les vertus médicinales de la bonne cuisine, décida de lui préparer un bouillon de pattes de poulet à base de marrube.

Elle chercha dans tous les tiroirs de la cuisine et, ne trouvant rien, se hissa sur un tabouret pour atteindre le fond des étagères. Elle en retira une boîte à biscuits qui paraissait avoir été abandonnée depuis des années, où elle trouva de vieux os de poulet. C'étaient les ossements de dinosaures patagons qu'Aukan, quarante ans auparavant, avait cachés à l'époque des récits de lévitation. Elle mitonna ce jour-là, sans le savoir, un bouillon de fossiles préhistoriques si délicieux que, lorsqu'elle le lui servit avec un filet d'huile, Thérèse suça les petits os avec ses doigts, sans soupçonner qu'elle buvait jusqu'à la moelle soixante millions d'années d'existence.

On ne put jamais réellement établir si ce furent les fossiles de dinosaures ou le nombre incalculable d'oiseaux dans sa pièce, mais au bout de quelques heures, Thérèse fut emportée dans un voyage paléontologique plein d'animaux fabuleux, en se roulant sous sa couette comme un rhinocéros dans un bain de sable, et se sentit si libre dans ses divagations, si légère dans ses hallucinations, si pénétrée d'une force primitive, qu'elle crut qu'elle s'envolait. Elle vit comme une apparition, entourée d'un halo de lumière, le condor qu'elle avait aperçu sur les sommets de la Cordillère, qui marchait autour de sa volière en ouvrant ses ailes géantes et qui poussait un râle d'opéra. Alors elle pleura de bonheur pour la première fois depuis longtemps et dit, avec la voix claire qui l'avait rendue célèbre avant l'épidémie de Limache :

— Michel René n'existe pas.

Cette confession, les dernières paroles de sa vie, furent impossibles à déchiffrer pour la seule personne dans la maison qui les entendit. Célia Filomena les mit sur le compte d'un délire sénile et le soir même, un dimanche de Noël, elle fut l'unique témoin de la mort de Thérèse Lamarthe, qui quitta le monde devant sa volière vide. On l'enterra au Cementerio General, aux côtés de Lazare, à l'intérieur d'un cercueil que quatre hommes descendirent avec des cordes de marin, dans une tombe qu'on couvrit entièrement de fleurs de tournesol et où, jusqu'à l'exil du dernier Lonsonier, les oiseaux vinrent se poser.

À cette même heure, Ilario Da rejoignit le centre de torture où il devait passer les heures les plus sombres de sa jeunesse. En ces temps, la Villa Grimaldi n'était qu'un parc ténébreux. Les cellules étaient disposées en ligne comme de petits cabanons en lambris, les unes à la suite des autres, avec pour seule fenêtre une ouverture au plafond. C'étaient de petits échafaudages barricadés de planches de bois, de barbelés et de débris métalliques, pareils à des cribs à maïs, où les prisonniers se tassaient dans l'obscurité. Une langueur triste stagnait dans ce jardin sans fleurs, longeant un mur d'enceinte en briques vertes, récemment élevé, et que ne prolongeait aucune histoire ni aucun lendemain.

À son arrivée, on jeta Ilario Da hors de la voiture en lui assenant des coups de pied dans le dos et un colonel, debout devant lui, annonça avec autorité :

– Ici, les muets parlent.

Une rafale de mitraillette le fit sursauter, puis on le tira avec brutalité jusqu'à l'une des geôles. Bien qu'il eût les yeux bandés, Ilario Da sentit qu'il entrait dans une pièce bondée. On le fit s'asseoir et, en fermant le cadenas, avant de partir, un soldat hurla :

– C'est qui le chef ?

– C'est vous, chef ! répondit un chœur.

Ilario Da fut surpris d'entendre autant de voix autour de lui, mais surtout de constater la discipline des prisonniers, révélant la soumission qu'on exerçait sur eux. Il appuya sa tête contre le mur et, grâce à la petite ouverture laissée sous le bandeau, put balayer la cellule du regard. À vue d'œil, la pièce mesurait quatre mètres de long et deux de large, trop étroite pour les seize personnes qu'il parvint à compter autour de lui. Les murs étaient parsemés d'écailles de peinture bleue et une ampoule affreuse, au milieu du plafond, restait allumée pendant toute la nuit. Six chaises, en file contre le mur, constituaient le seul mobilier, et des lits superposés, aux sommiers de bois, s'alignaient de part en part.

Il détailla les visages abattus de ces jeunes détenus, fracturés pour la plupart, les têtes tombantes et fatiguées, dont les mains menottées étaient devenues mauves. Les jambes écartées devant une flaque de salive, les vêtements sales et la barbe longue, tout leur corps semblait perclus de défaites, d'humiliations et de châtiments. Certains avaient des brûlures graves, d'autres des coupures profondes. À chaque passage des gardes, il y en avait toujours un qui, rompant le silence dans lequel ils étaient plongés, demandait dans une plainte déchirante :

– *Agua, por favor.*

L'électrochoc donnait soif. Au bout d'une heure de solitude, une timide rumeur au fond de la cellule se fit entendre. Ilario Da pensa d'abord qu'il s'agissait d'un groupe de militaires infiltrés, astucieusement mêlés aux prisonniers, qui simulait une conversation pour obtenir des informations. Le murmure de la discussion, encouragé par la tolérance des autres, devint de plus en plus fort, au point qu'une troisième voix s'y ajouta. Puis, des pas dans le couloir arrêtèrent les échanges.

– Qui a parlé ? demanda le garde.

Personne ne répondit.

– 392, c'est toi ?

– Non, chef.

– Alors, ça doit être ta copine.

À côté du 392 était assis un jeune adolescent qui devait avoir dix-huit ans, les cheveux longs, la chemise déchirée, le torse rougi par le sang d'une ancienne séance de torture. Le garde le fit sortir en l'attrapant par la nuque, et ferma la porte derrière lui. Deux minutes n'étaient pas passées que retentit un hurlement. Depuis la cellule, on entendait comment on le battait, on l'électrocutait. Il s'agrippait désespérément à son alibi, répétant la même excuse, donnant des noms qui ne satisfaisaient pas ses tortionnaires, probablement car ils étaient en exil ou déjà morts. On sut quelques jours plus tard qu'ils appliquaient la technique du grill qui consistait à attacher un corps sur un lit métallique dont les pieds étaient reliés à des câbles électriques, et à y faire passer des décharges dans l'anus, entre les orteils, sous les aisselles, au coin de l'œil. Le garçon niait tout, sa relation avec la résistance, son affiliation au MIR, ses contacts avec les têtes pensantes et les architectes du mouvement. La séance dura cinq heures.

Les calvaires se succédèrent ainsi pendant toute la journée. Ilario Da résista à toutes les tortures, par vanité, par orgueil, ou peut-être parce qu'il avait fini par accepter de tout mettre sur le dos d'Hector Bracamonte, dont il craignait qu'il ne le jugeât depuis l'au-delà. La prison sculpta sa figure avec dureté. Le jeune homme arrogant et séduisant qu'il avait été durant ses années à Santo Domingo devint, en quelques semaines d'enfermement, un adulte effondré, aux traits taillés à la serpe. Sa peau prit une teinte morne aux reflets rouges et ses cheveux, hier volumineux, se firent fins et cassants. Rien du feu de sa mère, rien de la jeunesse insolente de son père. À la Villa Grimaldi, il y avait en lui de la bête et du cadavre.

Dans le cabanon, ce fut toujours le prisonnier 392 qui resta en charge de distribuer l'eau à l'aide d'une petite tasse qu'il remplissait dans un broc à l'entrée de la cellule. Il suivait un ordre précis, comme s'il existait une hiérarchie secrète parmi les forçats, et versait l'eau lentement, touchant les bords avec l'autre main, pour en gaspiller le moins possible. Le tour était long et l'attente se faisait dans un silence respectueux, au point qu'on entendait chaque goutte glisser dans la gorge du voisin. Quand la tournée se finissait, on donnait l'ordre de dormir. Certains avaient droit à des lits superposés, d'autres se couchaient entre deux chaises, mais la majorité dormaient les uns sur les autres, jetés comme des lions de mer, la tête sur les genoux de l'autre, les pieds sur un autre dos. Ils avaient tous mal au corps, la langue sèche, le ventre creux, et, bien qu'il y eût une solidarité entre les détenus, bien qu'il y eût une unité des peuples opprimés, chacun ici se préoccupait de soi-même.

Le lendemain, les gardes rappelèrent les consignes. Interdiction de parler, interdiction d'appeler, interdiction de se plaindre. En quelques mots, il fallait demeurer dix-huit heures assis sur une chaise, ou au sol, en attendant une séance de torture. Les déjeuners se faisaient sur la table même où ils étaient électrocutés. Les yeux toujours bandés, assis en file, divisés en six groupes, la tête baissée, sans être autorisés à prononcer une seule parole, ils mangeaient un plat immonde composé des restes des repas des gardes, noyaux d'olives, vieux os de poulet, peaux de mandarine, morceaux de cartilage, grains de riz mâchés, qu'on avait fait bouillir dans une grande marmite. Depuis ce jour et jusqu'à la fin de sa vie, Ilario Da répéta à tous les repas que, lorsqu'on a faim, tout est bon à manger.

Petit à petit, dans les cellules, désobéissant aux gardes, les détenus commencèrent à imposer leurs propres lois. Ils changeaient de place rapidement, non tant par commodité que pour créer une variation rassurante à l'intérieur de la journée. Ils échangeaient quelques mots avec une grande vigilance, les dents serrées. Ilario Da comprit qu'il était entouré d'hommes qui lui ressemblaient, des étudiants, des maîtres de conférences, des professeurs d'université, des avocats, des commerçants, chacun d'entre eux prêt à signer n'importe quel papier pour s'exiler, à accepter toute destination, à subir toute odyssée, pour quitter le Chili. Ils étaient des prisonniers de guerre, des *prigué*, comme on les appelait, qui passeraient leur jeunesse dans les prisons de Rancagua, de Linares, de Talca, où ils donneraient jusqu'à leur libération des cours de mathématiques, de littérature anglaise, d'astrophysique et de langues scandinaves, dont le niveau était si élevé que les militaires eux-mêmes prenaient des notes de l'autre côté des barreaux.

Ilario Da rencontra Jorge Trujillo. C'était un ouvrier qu'on avait arrêté sur une simple suspicion après une courte grève dans son usine. Il s'exprimait sans métaphore ni théorie politique, sans éloquence ni faconde, il était modeste, et ne se percevait pas comme un martyr. Il disparut juste après son arrivée. On raconte qu'en pleine séance de torture, il avait avoué connaître un point de rendez-vous du MIR dans un restaurant. Les militaires le firent *porotear*, c'est-à-dire s'asseoir seul dans le restaurant, en le surveillant à quelques tables et en l'obligeant à désigner des militants recherchés avec des gestes discrets. On raconte qu'il commanda le meilleur vin et le plat en tête de carte, et que pendant tout le repas, il ne leva pas une seule fois le nez de son assiette. Quand on lui apporta l'addition, il pointa du doigt les militaires déguisés en civils.

– Ces messieurs m'invitent.

Il se fit offrir son dernier dîner. On ne le revit plus.

Il fit la connaissance d'un autre prisonnier, un vieux salpêtrier, ancien militant du Parti communiste, grand admirateur de Recabarren, qu'on appelait Don Hugo. Il avait fabriqué des *miguelitos* en cachette, car sa femme lui avait interdit de s'engager dans des activités subversives. Les *miguelitos* étaient des clous tordus qui devaient être éparpillés sur la chaussée, près des régiments et des postes de police, juste avant le couvre-feu, afin de ne crever que les pneus des patrouilles de surveillance.

L'opération avait mal tourné, et il agitait à présent ses menottes lourdes, loin des siens, en répétant :

– Il faut toujours écouter sa femme.

Il y avait aussi un grand gaillard brun. Il disait être propriétaire d'une charcuterie où il s'était associé avec son père. Le jour de son arrestation, il avait payé son fournisseur avec un chèque sans provision. Il se prenait la tête entre les mains et se lamentait dans sa barbe.

– Quoi qu'il arrive, même si je sors d'ici, on me remettra en prison pour escroquerie.

Parmi eux se trouvait aussi un homme d'une quarantaine d'années. Il s'appelait Carmelo Divino Rojas et il était l'ex-directeur d'une revue éditée à Concepción qui serait relancée pendant son exil français par le journaliste Armando Laberintos. Un matin, on vint l'arrêter chez lui, sans mandat ni motif explicite, alors qu'il jouait aux dominos avec son neveu et qu'il avait décidé de s'éloigner de la rédaction pour ne pas être mêlé aux affaires politiques. On le frappa, on le tortura, et quand on l'enferma à la Villa Grimaldi, alors qu'il demandait un traitement de faveur en tant que journaliste, on le jeta dans la même cellule que les autres. Parfois, dans un accès de colère, il ne pouvait s'empêcher de dire à voix haute :

– Vous, au moins, vous savez pourquoi vous êtes ici. Vous résistez mieux, car vous savez pourquoi vous mourez. Mais moi, je suis un homme de droite. Je devrais être de l'autre côté.

Ce jour-là, un garde ouvrit la porte d'un seul coup de pied.

– Qui parle ? cria-t-il.

Personne ne bougea.

– C'est Carmelo, c'est ça ? De toute façon, tu peux commencer à faire tes adieux. La sentence vient de tomber : tu vas être fusillé.

Ils le sortirent. Ils l'attachèrent, le coiffèrent d'une cagoule noire, et trois gardes, issus du contingent, formèrent un peloton d'exécution. Ils levèrent les fusils. Un quatrième soldat lut la sentence et donna le signal. Mais à la place d'une détonation, on entendit un grand éclat de rire.

– Il est tombé dans les pommes, cette fillette !

Il venait de vivre sa première fausse exécution. Ils le menèrent en le tirant par les bras, encore évanoui, jusqu'à la salle d'interrogatoire et le torturèrent pendant une heure, en lui faisant avaler des capsules de penthotal en guise de sérum de vérité. Brisé de partout, il gagna la cellule au crépuscule, presque inanimé, écorché vif. Les autres le redressèrent avec précaution. On le fit se coucher sur le meilleur lit. Quand il put ouvrir la bouche, il marmonna :

– Je ne serai plus jamais libre. J'ai tout dit.

En décembre, les prisonniers et les tortionnaires passèrent Noël ensemble, entassés dans une vieille tourelle pointant au milieu d'un bosquet de saules. Vers 18 heures, un garde apporta une radio et syntonisa un match de football entre Huachipato et l'Union Española. Le volume fut suffisamment haut pour que les détenus, à travers les barreaux, puissent suivre la partie et s'éleva parmi eux un débat qu'ils étirèrent le plus possible, en exposant différents points de vue sur les deux équipes. À la fin, les gardiens, ennuyés, lassés de devoir travailler le soir de Noël, exigèrent des blagues. Le détenu 392 fut appelé le premier et raconta avec une petite voix, les yeux rivés au sol, le corps tremblant, une anecdote grivoise où il était question de deux curés dans un urinoir.

Puis vint le tour d'Ilario Da qui, dans un coin, se tenait en silence.

– Je n'en connais pas, chef.

– Alors chante-nous quelque chose.

– Je ne sais pas chanter, chef.

Le garde explosa de colère :

– On va voir si tu ne sais pas chanter, communiste de merde.

Il ouvrit la porte, tout le monde se redressa. Le garde saisit Ilario Da par le bras. Il l'attirait vers le couloir, quand on entendit depuis la cellule une voix qui montait. C'était un tango. C'était *Volver* de Carlos Gardel. Cette voix solitaire était celle de Carmelo Divino Rojas qui, malgré la faiblesse de son état, avait approché son visage des barreaux pour que son chant inonde les autres cellules. D'autres voix se joignirent à la sienne et la Villa Grimaldi, l'espace d'un instant, plongea dans un recueillement profond pour écouter cette musique, et il sembla à Ilario Da qu'on ne les avait pas encore complètement tués, qu'ils étaient encore capables d'élever par-dessus les murs, par-dessus les barbelés, par-dessus les bandages, un même rêve qui parle d'un retour et d'un front flétri.

Ilario Da se relevait lorsque lui parvint, au milieu du vacarme, dans le cri brusque d'une autre bagarre, une autre voix, celle d'un vieil homme qu'on amenait. Un garde insistait pour connaître la cachette de son fils, mais lui, résistait, niait tout. Ils lui tombèrent dessus à plusieurs avec leurs matraques. Tout le monde comprit qu'il était le père de Julián, haut dirigeant du MIR, recherché depuis le 11 septembre dans tout le pays. Au bout d'une demi-heure, le vieillard fut jeté dans le cabanon et on ferma le cadenas avec violence. Tranquillement, il prit place sur la chaise la plus proche de la porte.

– De toute façon, dit-il, je n'avais pas prévu de sortir aujourd'hui.

Il y eut un rire gêné parmi les prisonniers. Mais, ce jour-là, le vieillard avait apporté avec lui une information précieuse.

– Ils disent que l'ambassade française fait pression. Ils sortent un *franchute* ce soir.

D'abord, Ilario Da ne le crut pas. Mais peu avant la tombée de la nuit, il distingua des pas dans le couloir. Le garde cria depuis la porte :

– *Franchute*, lève ton cul.

Le 30 décembre, Ilario Da fut libéré de la Villa Grimaldi, tondu et battu, avec onze kilos en moins, effrayé par une liberté soudaine qui lui sembla fragile et injuste. Ils l'installèrent à l'arrière d'une voiture civile, une Volkswagen K70, et Ilario Da se demanda si tout ceci n'était pas une nouvelle mascarade pour le faire disparaître quelque part dans le désert d'Atacama. Mais plus ils avançaient, plus il entendait le bruit des klaxons d'une grande ville, la musique provenant des magasins et des autobus, et il comprit qu'il était sur l'avenue O'Higgins, ou peut-être Simon Bolivar, dans le centre de la capitale.

Quand ils le firent descendre du véhicule, une main délicate lui tint la tête pour lui éviter de se cogner contre le rebord de la portière. Une femme s'occupa de l'accompagner jusqu'à l'intérieur d'un bâtiment où elle décolla soigneusement le scotch qui lui recouvrait les paupières :

– Ouvrez doucement les yeux, dit-elle. Il y a beaucoup de lumière.

Le monde s'offrit à nouveau à lui. Il observa tout autour et reconnut la Fiscalia Militar. On le fit entrer dans une antichambre étroite en bas d'un escalier. Des bureaux se succédaient dans un souterrain d'officines où des hommes en cravate tapaient sur des machines à écrire. La jeune femme lui tendit une cigarette, mais Ilario Da refusa avec courtoisie :

– Je profite de l'occasion pour arrêter de fumer.

Il pénétra dans un bureau dont le seul mobilier était une table et, sur le mur d'en face, une photo agrandie d'Augusto Pinochet. Deux hommes, bien rasés, vêtus chacun d'une chemise fermée par un bouton d'or, lurent à voix haute son nom de famille et lui demandèrent, après avoir retroussé leurs manches, de raconter dans les moindres détails l'après-midi de ce vendredi de septembre.

Ilario Da, avec une froideur blessée, répéta qu'Hector Bracamonte était un activiste militant d'extrême gauche qui cachait des armes dans la fabrique. Lui n'était qu'un bourgeois à la double nationalité, frivole et superficiel, jeune et sot, qui s'était fait entraîner dans cette affaire. À la fin de la déclaration, l'un des officiers lui remit le stylo pour qu'il signe. Ilario Da n'eut pas le temps de se relire. En quittant la pièce, il pensa en silence à Hector qui, toute sa vie, avait cherché à laisser de lui le souvenir d'un être respectable, sans plainte ni protestation, et qui voyait désormais son nom figurer parmi les orphelins de l'histoire, cinquante-huit ans plus tard, lui qui n'était coupable que d'avoir eu faim.

Michel René

Le 21 mai, le vieux Lonsonier fêta ses cent dix-huit ans. Bien qu'il ait été courbé à force de vendanges, nul n'était mieux placé que lui pour prouver que l'âge n'avait aucun lien avec le passage du temps. Cependant, depuis plusieurs mois déjà, il ne parvenait plus à se souvenir du nom qu'il portait avant son installation au Chili. Il s'était si bien habitué à sa deuxième identité qu'il en avait oublié la première. Flottant dans un passé hésitant, il avait laissé derrière lui l'image du jeune vigneron qu'il avait été, mais se rappelait toutefois, avec une netteté éclatante, cet après-midi d'automne où il avait fait la connaissance d'un fugitif de la capitale.

– Il s'appelait Michel René, dit-il en le notant sur un papier.

En 1873, un siècle avant le coup d'État, le vieux Lonsonier hérita d'un modeste vignoble sur les coteaux de Lons-le-Saunier. Rien dans sa vie alors ne laissait présager le destin étonnant qui devait le jeter, des mois plus tard, à l'autre bout du monde. Fin août, ses parents moururent de la fièvre typhoïde et, comme si une malédiction s'était abattue dans sa maison, sa vigne se mit, elle aussi, à périr. L'effondrement était pourtant prévisible. Le phylloxéra, un puceron sauvage, était arrivé en France depuis quelques années déjà, à Bordeaux et dans le Pays basque, en provenance des États-Unis. Lonsonier avait entendu parler d'un certain M. Delorme, un vétérinaire d'Arles, qui régissait un vignoble dans le Sud dont les feuilles avaient jauni en une nuit. Ses arbustes avaient pris la couleur pâle de l'or des Andes et des boursouflures galeuses étaient venues cabosser la surface lisse de ses plantes. Le bois se vida et sécha en quelques semaines. Chaque pied tombé laissait dans le vent des milliers de pucerons invisibles qui se déplaçaient de domaine en domaine, de souche en souche, portés par les pluies, balayant des siècles de viticulture, seulement arrêtés par de rares toiles d'araignées tendues entre deux tiges. Jamais dans l'histoire de la vigne française on ne vit une telle catastrophe et, en l'espace de quelques mois, on ne trouvait plus un seul pied debout depuis l'Hérault jusqu'en Alsace.

Les municipalités donnèrent l'ordre d'inonder les terres malades, mais on s'aperçut rapidement que l'insecte survivait à l'eau. On appliqua des produits chimiques qui ne firent qu'accélérer la propagation en tuant les pommiers voisins et les plants de tomates. Les mairies brûlèrent massivement les racines dans de grands bûchers qui rappelaient ceux de la Commune à Paris et, en groupes organisés, des Commissions départementales du phylloxéra aspergèrent les campagnes de sulfate de cuivre et de sulfure de carbone.

Lonsonier, dont les vignes étaient à l'est, profita pendant un temps de la hausse du cours du vin. Mais un jour, alors qu'il traversait ses pentes, il flaira dans l'écorce de ses pieds une odeur âcre, acide, fiévreuse. Leurs feuilles étaient toutes grelottantes, brunes, parsemées de bubons verts, parcourues de mille coques pareilles à des perles de cyanure. Il fit des prélèvements et découvrit que toutes les branches présentaient des galeries souterraines où fourmillaient des pucerons assoiffés, allant et venant dans le ventre de la sève, contaminant les terrains, ravageant les racines basses comme une dictature des sous-sols.

Un coup de pioche lui permit de voir à l'œil nu des longues files de points jaunâtres. Chaque pied était famélique, chaque fruit ridé, et hormis quelques vieux troncs résistants qui faisaient encore rempart, toute la plantation ressemblait à un royaume abandonné au milieu d'une île. Petit à petit, les longs rangs de Lonsonier se transformèrent en un cimetière de plantes lépreuses, en passages sombres et tristes, au point qu'en quelques semaines ses six hectares ne purent plus donner une seule goutte de vin.

Il voulut résister. Il devint un spécialiste en médecine botanique. Il consulta des ouvrages d'entomologie et, pendant des journées entières, promena sa loupe sur la peau des écorces. Il livra une telle guerre contre le puceron qu'il lui sembla que cette bataille était plus haute, plus digne encore que celle qu'avaient livrée les Communards, deux ans auparavant, dans les rues de Paris. Mais à la fin de ces vendanges misérables, où son plus gros raisin n'atteignit pas la taille d'une cacahuète, où son plus haut pied faisait douze centimètres, Lonsonier était ruiné. Quand il constata que sa plantation, qu'il avait beau greffer de ceps sains et arroser de sulfate de cuivre, restait morte, il comprit qu'il avait irrémédiablement perdu ce combat. Des bûcherons firent le tour de son domaine pour récupérer le bois afin de le revendre ensuite à des constructeurs et à des luthiers. Deux mois plus tard, la vigne de Lonsonier était transformée en violons et en chaises de bistrot.

Dévasté, il se négligea. À peine le deuil de ses plantes avait-il été respecté que, sans plus attendre, sa maison tomba à l'abandon et devint un lieu lugubre que sillonnaient encore, le long des couloirs sinistres, errant dans les soirs de solitude, les fantômes de ses parents. Toutes les pièces semblaient souffrir de la maladie de la vigne. Une humidité mousseuse montait sur les murs, et les portes faisaient crier leurs gonds tant les chevilles avaient rouillé. Les étagères étaient couvertes d'une neige de toiles d'araignée. Les poubelles s'entassaient dans les coins de la cuisine. Les fleurs pourrissaient dans les pots et les amas de poussière, créant comme des monticules d'herbe aux angles, avaient commencé à abriter des colonies de fourmis.

Brusquement, il eut la conviction qu'il était temps pour lui de partir. Cela faisait cinq ans que les vignerons de toute la France quittaient leurs domaines pour tenter l'aventure coloniale. Les jeunes célibataires, sans famille ni héritage, étaient les premiers à prendre des navires en direction de la Californie où l'on disait que la Napa Valley, au nord-est de San Francisco, serait un jour invitée au Jugement des vins de Paris.

La certitude du départ l'aveugla tant qu'il ne s'inquiéta pas le moins du monde quand il remarqua, un jeudi matin, alors qu'il se levait pour boire un café, que les poubelles entassées dans sa cuisine avaient disparu. Il mit cette disparition sur le compte d'une hallucination due à la fatigue. Deux jours plus tard, la tour de vaisselle accumulée fut lavée et rangée. À la fin du mois, on ne trouvait plus une seule fourmi dans les coins, les toiles d'araignée avaient été balayées, et il était devenu tout à fait impossible de faire crier les portes tant leurs gonds avaient été huilés.

– Mon Dieu, pensa-t-il. Ces fantômes vont finir par me jeter hors de la maison.

Il n'eut pas le temps d'enquêter sur l'étrange phénomène qui survenait dans sa demeure, car, un soir, faisant irruption par surprise dans sa cabane à outils, Lonsonier découvrit un homme couché sur une paillasse, qui se leva d'un bond à sa vue.

Il parut apeuré, tremblant, inoffensif. Lonsonier crut d'abord qu'il venait de l'autre côté de l'océan, peut-être de Californie. Mais l'inconnu ne connaissait pas l'Amérique.

– Je ne fais que fuir Paris, Monsieur.

C'était un jeune homme qui avait fui la Commune, en pleine Semaine sanglante, où un injuste procès l'avait forcé à monter dans une carriole de fruits pour quitter les faubourgs.

– Si vous me renvoyez, je serai pendu, dit-il dans un souffle.

Il s'appelait Michel René. Pour toute richesse, il ne possédait qu'un paletot brun à collet de velours, un pantalon à bandes rouges et une casquette à carreaux. Il avait des yeux gris et un nez délicat qui donnaient à ses traits quelque chose de féminin. Quelques mois auparavant, s'il avait découvert un déserteur dormant dans son cabanon, Lonsonier aurait alerté la gendarmerie. Mais à présent, prêt à partir, laissant derrière lui un paysage en ruine, il vit dans la présence de ce fugitif le salut de son vignoble.

Les jours qui suivirent, il ne les consacra qu'à planifier son exil. Ses préparatifs mobilisèrent toute l'imagination qu'il accordait habituellement à la résurrection de ses champs, non qu'il y perçût une fuite vers l'avant, mais parce qu'il avait perdu tout espoir de tirer un seul raisin des entrailles de ce continent. Il nota des repères sur des cartes, souligna des livres sur la Californie, prit des notes sur la conservation des pieds de vigne durant un voyage. Dès mars, il vendit la moitié de ses meubles pour payer son billet et, bientôt, le salon débordant de balluchons, de cartons et de malles pleines, il attendit l'arrivée d'un cap-hornier qui devait partir du Havre pour l'Amérique au début du printemps.

Michel René, lui, continuait imperturbablement à se lever quand Lonsonier dormait. Il sortait dans l'obscurité et, plusieurs nuits durant, errait en tous sens, muni d'une boîte à outils qu'il s'était fabriquée, flottant timidement dans les couloirs du rez-de-chaussée. Il réparait les étagères boiteuses, ramonait la cheminée, changeait l'huile des lampes, avec une attention sans bruit et une délicatesse muette qui firent croire à Lonsonier qu'il avait été autrefois majordome. Bien qu'il tentât de discuter avec lui, Michel René restait discret sur son passé. La rudesse des fermes, la rumeur des geôles et la loi des caravanes l'avaient si bien lassé des hommes qu'il croyait avoir trouvé dans ce havre aux ruines de raisins, dans ce refuge de fantômes et de barriques trouées, un abri où finir ses jours en silence. Il ne parlait que pour exprimer une gratitude ou une approbation. À force de coups de bâtons, il avait gardé le regard craintif. Quand Lonsonier le voyait glisser comme une ombre éphémère, comme un chat timide parmi les rangs clairsemés de la vigne, sa démarche anxieuse portait la secrète empreinte de toutes les humiliations vécues.

Ainsi passèrent quelques semaines et le 11 avril, lors d'une journée ombragée, Lonsonier fit sa dernière valise et déracina le seul pied de vigne qui n'avait pas été endommagé. Il mit dans sa poche trente francs et un peu de terre grasse. Le jour du départ, après avoir vissé les caisses, il cassa sa tirelire en barbotine pour récupérer ses dernières épargnes et se dirigea vers le cabanon. Il devait se souvenir longtemps du moment où, entrant dans son réduit à outils, il aperçut Michel René pour la première fois sans casquette et découvrit qu'il avait les cheveux longs, mais qu'il les coiffait avec un filet noir pour les retenir. Puis, il détailla ses hanches et les trouva plus généreuses, plus gonflées que celles d'un homme. La chemise, légèrement déboutonnée, laissa apparaître une poitrine jeune et ronde, et Lonsonier comprit à cet instant que Michel René était une femme.

C'était une Parisienne dans la trentaine, qui avait fait partie d'un bataillon de femmes de la place Blanche, et qui avait ensuite dû se déguiser en homme pour se battre sur les barricades, avec un semblant d'uniforme et un pantalon à bandes vermeilles. Blessée, poursuivie, elle s'était cachée où la bonne fortune le lui avait permis, dans les mausolées des cimetières, dans les anciens abattoirs, et même une fois dans les ateliers impériaux de Napoléon où un mathématicien, appelé Augustin Mouchot, construisait des machines solaires. Lorsqu'elle découvrit Lonsonier dans le cadre de la porte, elle rougit et se hâta de jeter une couverture sur ses épaules pour se couvrir.

– Ne me renvoyez pas, pria-t-elle.

On l'avait chassée de partout. Ici et là, dans tous les arrondissements, dans tous les faubourgs, elle avait défendu son droit au travail, son droit à l'instruction, son droit au Code civil, son droit de porter les armes, et quand Lonsonier lui demanda, interloqué, la raison de son travestissement, elle répondit avec une incroyable assurance :

– Aujourd'hui, je n'ai même plus le droit d'être une femme.

La surprise ne le fit pas hésiter. Lonsonier prit sa valise et lui donna les clés de sa maison.

– Si ce domaine doit renaître, lui dit-il, que ce soit dans les mains d'une femme.

Le soir même, Lonsonier quitta ce pays de calcaire et de céréales, de morilles et de noix, pour s'embarquer sur un navire en fer qui partait du Havre en direction de la Californie. Le canal de Panama n'étant pas encore ouvert, il dut faire le tour par le sud de l'Amérique et voyagea pendant quarante jours, à bord d'un cap-hornier, où deux cents hommes, entassés dans des soutes remplies de cages à oiseaux, jouaient des fanfares si bruyantes qu'il fut incapable de fermer l'œil jusqu'aux côtes de la Patagonie.

Un hasard de l'histoire le fit débarquer à Valparaíso, le 21 mai. Il fit preuve, sans le savoir, d'un courage aussi admirable que celui de son fils Lazare qui partirait se battre en France, d'une bravoure aussi exemplaire que celle de Margot qui volerait au-dessus de la Manche, d'une résolution aussi fière que celle d'Ilario Da qui se tairait sous la torture, greffant ainsi la première racine sur le tronc des descendances à venir. Bien des années plus tard, déjà vieil homme, installé à Santiago avec sa famille, Lonsonier continua à se demander si Michel René avait réellement existé. Mais le jour où son fils Lazare lui demanda d'où venait sa famille en France, il ne put que répondre, projeté tout à coup dans un vieux souvenir peuplé de fugitifs et de pucerons :

– Quand tu iras en France, tu rencontreras Michel René. Il te racontera tout.

Ce nom se passa de génération en génération, pendant un siècle, avec la prudence d'un talisman. C'est pourquoi en septembre 1973, lorsque Ilario Da disparut dans les prisons chiliennes, Margot maudit l'année où le phylloxéra avait attaqué la vigne française.

Il s'était écoulé plus de trois semaines depuis son arrestation et la seule chose qu'on savait, c'était que la junte laissait dans l'impunité les délits, les fautes et les crimes, et ne gardait aucun registre de ses exactions. Sur un banc, dans les locaux des carabiniers, Margot patienta, taciturne et solitaire. On disait qu'elle avait envoyé tant de lettres à l'ambassade que l'encre sur ses doigts ne s'effaçait plus. Elle avait depuis si longtemps abandonné l'idée de la réapparition d'Ilario Da qu'elle en était venue à errer dans les commissariats, comme autrefois Michel René dans les couloirs de la maison, contemplant dans la glace son visage amaigri, desséché et résigné, confondant ses traits avec ceux des *desaparecidos* sur les listes de la Dina. Désormais, elle ne se rendait plus qu'à la morgue et dans les hôpitaux pour se renseigner, et revenait chez elle, bouleversée par ces visites, qui confirmaient avec horreur le massacre de toute une génération. Dans la pénombre de son arrière-cour, où elle avait ressenti les vertiges de la science et les impatiences de l'amour, elle se laissait plonger dans un délabrement sinistre, comme une veuve esseulée, le cœur en lambeaux, et c'est à peine si elle acceptait les visites de Bernardo Danovsky.

– Vous êtes le seul à me comprendre, lui disait-elle. Car, vous aussi, vous avez perdu un fils.

C'est ainsi que, pendant tout le mois de janvier, le vieux directeur lui rendit visite et lui apporta des spécialités juives, des *gefilte fish*, des soupes de betteraves, des *bilkalej* et des *verenike*, dont les parfums épicés embaumaient les pièces vides sans pour autant masquer les puanteurs de son âme.

Il eut l'impression que la peau de Margot prenait la couleur métallique d'un fuselage, que ses épaules s'étaient ramassées, que ses mains s'étaient raccourcies, que tout se confondait chez elle avec l'attente de mourir et le malheur d'exister. Il lui suggéra de reprendre ses réunions pacifistes, de changer ses meubles, de semer des plantes dans son jardin. Mais Margot, avec un désespoir qui paraissait frôler la folie, se mit à chercher son fils dans des rêves prémonitoires, dans les divinations des cartes du tarot, dans les symboles cachés des feuilles de thé et de la cendre des cigares, perdue dans des sorcelleries dont elle anticipait les oracles. Elle était si démunie qu'un samedi, vers 15 heures, elle ne se leva même pas quand quelqu'un sonna à la porte.

– Ce doit être le diable, pensa-t-elle.

Celui qui arriva jusque dans le jardin, après avoir traversé la maison sans dire un mot, fut un garçon famélique, avec un pantalon déchiré jusqu'au genou amarré par une corde, les vêtements en haillons, la chemise tachée de sang et le crâne rasé, couvert de cicatrices noires, qu'il cachait sous un bonnet plein de trous. Ce garçon n'était plus un garçon, c'était le spectre de la dictature, c'était la métaphore rustre, terrifiante, effroyable, d'un peuple déjà meurtri. En l'observant, Margot pensa qu'il venait mendier un peu de pain, et lorsque leurs regards se croisèrent, elle ne reconnut pas son fils et le prit pour un autre fantôme déserté d'une ancienne guerre coloniale.

– La vie m'a envoyé un deuxième mort, dit-elle.

Ilario Da était si brisé, si humilié, si exténué, que Margot comprit qu'il rentrait d'un enfer encore plus sombre que le sien. Dans la confusion de ce retour, comme tous les Lonsonier, elle se mit à remplir précipitamment la baignoire, convaincue par un héritage familial que le bain était un des seuls remèdes au malheur. Quand Ilario Da se déshabilla devant elle, elle découvrit des cicatrices si profondes et des blessures si graves qu'elle eut l'impression qu'une armée entière lui avait marché dessus. Dans la baignoire du vieux Lonsonier, elle le lava avec un gant tricoté, poudré d'un gommage de graines de lin, et recouvrit ses tempes d'un masque de rose musquée qu'elle laissa reposer sur ses cicatrices pendant trois heures. Les vessies congelées sur sa tête lui firent chuter la fièvre. Elle lui appliqua un cataplasme d'herbes avec du sang de poule noire, le même qu'avait utilisé Aukan pour le poumon de Lazare, car, en le voyant ainsi, elle en était arrivée à la douloureuse conclusion que tous les hommes de cette famille souffraient des mêmes maux et devaient se soigner avec les mêmes traitements.

Après le bain, il parvint à s'assoupir, mais se réveilla en sursaut, hurlant à l'aide. Il ne se calmait que lorsque Margot arrivait en catastrophe, en le retenant au lit avec des infusions de morphine liquide. C'était comme si l'assassinat d'Hector Bracamonte, la peur d'être torturé à nouveau, les traumatismes de son corps encore souffrant, avaient ranimé en lui les mêmes images cauchemardesques qui avaient assailli Lazare à la disparition de ses frères. Ainsi, pendant les jours qui suivirent ce retour, se nouèrent entre la mère et le fils des rapports maladroits et magnifiques qui engagèrent la première dans un combat contre la mort, et le deuxième dans une lutte contre la folie. Un soir qu'il délirait, en criant le nom d'Hector et en parlant de Carmelo Divino Rojas, les yeux gonflés et la bouche écumante, Margot prit une décision sur laquelle personne ne put revenir.

– Nous quittons ce pays dans une semaine.

Les démarches pour obtenir une autorisation de quitter le territoire étant trop lentes, elle prit les choses en main. Par une décision aussi instinctive que celle qui la fit s'engager un jour dans les Forces aériennes libres sur un autre continent, elle confia à Aukan le soin de hâter la guérison d'Ilario Da et partit vers l'aérodrome de Tobalaba pour reprendre la construction de son avion. Elle réunit autour d'elle un groupe de vieux mécaniciens avec qui elle avait gardé contact après la guerre et prophétisa que son appareil, assemblé à la sauvage comme le *Spirit of Saint-Louis* de Charles Lindbergh, serait parfaitement capable de traverser la Cordillère.

Son monoplan, endormi sous la haute nef d'un entrepôt, était rangé parmi d'autres machines ronflantes, plongées dans une pénombre froide comme une cathédrale. Elle fit des déplacements jusqu'à l'aérodrome tous les jours. Bientôt, comme saisie par un regain de jeunesse, elle ordonna aux mécaniciens de réglementer le tableau de bord, de renforcer les ailes et de refaire la transmission des gaz, bâtissant un monstre artisanal sans la moindre idée de ses capacités. Ce projet insolite, vaincu autrefois malgré les persévérances de l'adolescence, ralluma dans son cœur une nature guerrière qui était plantée en elle et qui, depuis son retour du front, avait dormi dans l'ombre. Quand elle eut fini son travail obsédant, l'avion fut prêt à partir. Bernardo, étudiant dans les détails la carte de la Cordillère, lui traça l'itinéraire le plus sûr.

– De jour, tu verras mieux, lui dit-il. Je te libérerai la piste dès l'aube.

Mais Margot le dévisagea avec une douceur confuse. Elle savait que son ambition pleine de vertiges était à jamais condamnée à frôler les dangers. Elle avait si longtemps attendu ce vol, elle avait tant sacrifié, inspirée par un appel messianique, que sa voix ne trembla pas lorsqu'elle objecta :

– De jour, on nous verra.

Pour la première fois depuis qu'ils se connaissaient, elle fut sèche et résolue devant lui. Elle le fixa avec des yeux fauves et il n'osa pas la contredire.

– Nous décollerons cette nuit, ajouta-t-elle.

Ni les prudences de l'amitié, ni les murailles de glace, ni les pièges de la nostalgie, ne la firent hésiter. Elle rentra chez elle, vida sa chambre, rassembla ses rares économies dans un petit coffre et déracina la vigne de son jardin, courbée sous un feuillage déguenillé, avec la même sacralité que son grand-père Lonsonier le jour où il l'avait plantée. Elle ordonna à Ilario Da de s'enduire le corps de graisse et de pelures d'oignon, pour réduire les effets du manque d'oxygène, et cacha une hache sous son siège, plus par superstition que par nécessité.

À 22 heures, Margot et Ilario Da quittèrent le terrain de Tobalaba grâce à l'une des pistes que Bernardo avait balisée de feux. Ils montèrent par hautes spirales vers l'est à une altitude de quatre mille mètres et mirent le cap sur les Andes. Au bout d'une demi-heure, ils étaient dans les montagnes.

Au milieu du ciel, sans parvenir à le voir, d'après de simples calculs, Margot supposa que se dressait devant elle le volcan de Tupungato, dans les remparts centraux, là où se forme une selle de vallées enneigées dans un étroit croissant de parois. Elle ne quittait pas des yeux les pics et les cols de l'Aconcagua qu'elle imaginait dans les cartes et qui, sous ses pieds, se transformaient en dépressions rocheuses, en cratères géants, en lacs que la saison commençait à dégeler. Les entailles étaient rares pour passer, les fentes sinueuses, l'enceinte était murée comme une forteresse, si bien qu'à chaque mouvement Margot avait l'impression de caresser du bout de ses ailes la peau des rochers.

Au bout de quarante-cinq minutes de vol, elle calcula qu'ils devaient avoir franchi plus ou moins la moitié de la chaîne. Elle surveillait avec une attention millimétrique la trajectoire, tandis qu'Ilario Da oscillait entre la peur et le sommeil, encore fragile de la torture, abasourdi contre la vitre. Vers 23 heures, l'avion fut bousculé par une forte perturbation de courants. Elle manqua de percuter un éperon rocheux et eut l'impression que des forces invisibles l'attiraient vers la paroi, mais elle parvint à redresser son appareil. Maintes fois, elle crut sombrer, ballottée par les prodigieuses rafales des Andes, mais elle en réchappait par miracle. Ce fut pendant une de ces secousses qu'une vague puissante, plus appuyée, la projeta dans une colonne d'air si violente qu'elle agita l'avion comme une feuille sèche. Apeurée, Margot distingua un escarpement entre deux cloisons de roche et parvint à se dégager. Mais à peine s'était-elle engagée dans ce corridor qu'elle fut prise dans un entonnoir qui, par sa forme resserrée, créait une série de tourbillons qui la tirèrent vers le bas.

Margot coupa les gaz et se mit en vol plané. Elle remarqua au loin une terrasse, longue de quatre cents mètres, assez large pour se poser, et tourna les roues de l'appareil dans le sens du plateau. Avec des gestes précis, entre les bosses et les rochers, sur un parterre de neige poudreuse, elle parvint à atterrir brusquement. Un heurt bruyant fit trembler la machine. L'avion sauta, glissa en cahotant, évita un ravin, puis s'affaissa. Aussitôt, Margot lâcha les commandes et sortit de la carlingue. Autour d'eux, partout des sommets en miroirs, battus par un vent glacial, des arêtes sifflantes, des sommets d'ivoire, un cimetière de géants qui s'étendait à perte de vue. Elle inspecta les lieux et, bien que l'ouverture de la montagne fût étroite, elle se réjouit de voir que la plateforme était en pente douce, orientée vers un passage de cimes, où les ailes pouvaient passer.

– On pourra l'utiliser comme tremplin pour repartir, sourit-elle.

Ils étaient à quatre mille mètres d'altitude, par moins dix degrés, mais Margot, qui se souvenait de Los Cerrillos, du port de Londres et des chasseurs allemands sur la Manche, sentit une bravoure qui gonfla ses muscles. Elle commença à étudier le terrain, l'état de son fuselage et de son train d'atterrissage, tournant autour de sa machine comme un mécanicien dans un hangar. Dans une inspiration soudaine, elle se mit à entortiller des câbles avec du cuir, à marteler la tôle, à redresser la béquille, tandis qu'elle donnait l'ordre à Ilario Da d'enlever des pièces secondaires pour alléger l'avion. Leurs mains bleuirent, ils saignèrent du nez. Le brouillard était si froid qu'ils eurent les pieds insensibilisés pendant deux jours. Le gel fissura les canalisations du radiateur, si bien qu'il fallut utiliser tous les pantalons de leurs valises pour boucher les trous. Margot, avec une hardiesse insensée, concentrée sur cet appareil dont elle connaissait chaque centimètre comme un prolongement de son corps, calcula qu'il décollerait en s'agrippant à l'air s'il était lancé sur la pente.

– C'est notre seule chance, dit-elle à Ilario Da.

Elle s'installa aux commandes et alluma le moteur. Ilario Da poussa l'avion légèrement vers l'inclinaison du plateau. Les roues glissèrent sur le givre et la machine se mit à dévaler la pente. Ilario Da remonta rapidement à l'arrière et Margot, excitée par l'aventure, accéléra au niveau du tremplin et appuya sur le levier de profondeur. Elle cambra à la limite du déchirement, remonta, prit de la vitesse, défia les vents à l'aveugle et, utilisant le même courant d'air qui l'avait fait chuter, sortit vers la vallée où l'Argentine pointait au fond.

À minuit, Ilario Da et Margot atteignirent Mendoza. Ceux qui se souvinrent de cette nuit dirent que le ciel était blanc quand ils virent arriver un avion étrange, d'où émergèrent une femme aux tresses longues et un jeune garçon tondu que ses pieds gelés empêchaient de marcher.

– Quelle merveille, souffla Margot. J'aurais dû faire ça toute ma vie.

Le premier mardi de février, le paquebot *Sainte-Croix* leva l'ancre à Buenos Aires, à destination de Saint-Nazaire. Mais Margot ne monta pas à bord. Elle demeura immobile sur le quai argentin, le regard fixé sur un point imaginaire à l'horizon, sachant que rien ne l'attendait en Europe, hormis une foule capricieuse de souvenirs.

– Je ne peux pas, dit-elle. Je ne vivrai pas dans un continent qui m'a déjà vue mourir une fois.

Elle tira de son sac un tas de vieilles feuilles écornées, jaunies, reliées en cahier par une ficelle, et les glissa dans la valise de son fils.

– Je les ai sauvées du carton rouge, ajouta-t-elle. Fais-en quelque chose.

Puis le bateau replia ses passerelles, avec ses cordages comme des couleuvres blanches, et Ilario Da se précipita à bord. Leurs adieux furent sans paroles, sans gestes. Aucun des deux ne salua au loin. Les yeux de Margot se voilèrent d'un égarement qui ne la quitta plus. Ilario Da, les tempes encore tuméfiées, les jambes tremblantes, n'eut pas la force de lui promettre un retour. C'est ainsi qu'il la revit toujours, debout sur un quai de pêcheurs, fatiguée de porter sur ses épaules un demi-siècle de batailles.

Sur le Río de la Plata, l'exil du dernier Lonsonier commença. Ilario Da se rendit compte qu'il était entouré de passagers insouciants, des hommes et des femmes qui semblaient ignorer la dictature, et il lui parut absurde que, pour continuer leur vie, ces familles prissent le même bateau qui le sauvait de la mort. Mais le plus douloureux pour lui était la certitude que son départ ouvrait la route à des milliers de jeunes Chiliens qui, derrière lui, se pressaient pour embarquer dans des bateaux, s'entasser dans des avions, traverser la Cordillère à dos de mule, et qui attendaient dans des prisons froides les tampons des administrations étrangères, les permissions des douanes, les sauf-conduits militaires, pour se rendre dans des régions éloignées où l'on ignorait leurs souffrances.

La France, à cette époque, accueillait les réfugiés politiques du monde entier comme une nouvelle terre d'asile. Pourtant, la possibilité de renoncer à la lutte, de ne pas revenir au Chili, ne se présenta jamais à son esprit. Il n'existait pas de vie intéressante, noble et brave, hors du combat politique. Ses camarades, qui n'avaient pas de double nationalité, étaient restés à Santiago. Ilario Da éprouva dans son cœur cette injustice et il envisagea son retour comme une évidence. Cependant, il ne soupçonnait pas à cette heure qu'il resterait plus de dix ans à Paris. Il ignorait qu'il s'installerait dans une mansarde étroite, sans condors ni araucarias, où il écrirait le récit de sa torture, et qu'il devait rencontrer, bien des années plus tard, au bois de Vincennes, lors d'un match de football, une certaine Venezuela, une femme courageuse venue d'un pays d'orchidées et de pétrole, de bateaux chargés d'épices et de douleurs, qui le guiderait vers une autre révolution.

Dans l'effacement de la traversée, tandis qu'il flânait sur le pont, il se replongea dans son passé et vit éclore ses heures les plus riches. Il sortit de sa petite valise le cahier cousu par Margot et se mit à écrire. Ce n'était pas seulement par nécessité de témoigner, ce besoin d'encre lui venait de plus loin, comme ressurgi du puits de la nostalgie, de ce temps où il apprenait avec Aukan les merveilleuses histoires des jeunes filles qui naissent du feu et des géants qui se transforment en statues de bois. Alors qu'il dépeuplait son passé, il lui sembla que le visage d'Hector se découpait sur l'intense clarté de la mer, clair et serein, son souvenir se faisant plus proche au fur et à mesure que le navire s'éloignait. Ainsi, le jour où le vieux Lonsonier avait traversé le premier l'Atlantique, il n'avait fait que poser la première pièce sur l'échiquier des migrations que devait poursuivre sa famille. Cent ans plus tard, lui, son arrière-petit-fils, prenait le chemin du retour, après deux guerres mondiales et une dictature, et peut-être que, dans un demi-siècle, un nouvel exil viendrait s'additionner au long et lent feuillage des événements, en une infinie jungle de quêtes, de douleurs et de naissances.

Quand les côtes françaises apparurent, Ilario Da eut l'impression qu'à cet instant seulement ce pays commençait réellement à exister. Un mardi d'automne, il débarqua avec trente francs dans une poche et un pied de vigne dans l'autre. Il n'avait au monde rien qu'un costume gris et une paire de bottines. Dans sa valise, le manuscrit du front chilien. Lorsqu'il atteignit le poste des services d'immigration, il dut faire une longue queue. Au bout d'une heure, une douanière lui demanda :
– Nom ?

Cette question énigmatique éveilla dans sa mémoire un profond écho. Bien qu'il fût loin de la dictature, loin des carabiniers chiliens, il fut saisi par la crainte d'être recherché de l'autre côté de l'océan. Il pensa à plusieurs noms d'emprunt, des pseudonymes, des noms de code, mais le seul qui lui vint aux lèvres fut celui que tous ses ancêtres s'étaient répété avant lui.

– Michel René, dit-il.

La femme ne leva pas les yeux. D'un geste négligent de la main qui devait rebaptiser, en une seule ligne, toute sa généalogie après lui, elle nota sur sa fiche :

Michel René.

édition pré-presse
livres numériques

44400 Rezé

Imprimé par CPI Black Print (Barcelone)
en novembre 2022

Imprimé en Espagne